L'abécédaire

Il se compose des notices suivantes, classées par ordre alphabétique.
À chacune d'elles est associée une couleur qui indique sa nature :

■ L'histoire du cheval depuis sa domestication

■ Pratique et connaissance du cheval

■ Le contexte culturel

Au fil de ces notices, et grâce aux renvois signalés par les astérisques,
le lecteur voyage comme il lui plaît dans l'abécédaire.

LE CHEVAL RACONTÉ

Le cheval ne laisse pas indifférent. Nos ancêtres du Magdalénien, 15 000 ans avant notre ère, ornaient déjà les parois des grottes de splendides représentations d'équidés. Sollicité, depuis sa domestication, dans la quasi-totalité des activités humaines, le cheval a été remplacé dans son rôle utilitaire par la machine, du moins dans les pays occidentaux. Sa fougue, sa puissance, sa rapidité, ses formes harmonieuses, son élégance exercent toutefois un attrait bien particulier, capable de faire naître chez certains « mordus » une passion dévorante. À Buffon qui le désignait comme « la plus noble conquête de l'homme », n'est-il pas tentant de répondre que l'homme à son tour est devenu la plus noble conquête du cheval ?

Centaure provenant de la villa Hadriana, 117-138 apr. J.-C. Marbre gris. Rome, Museo Capitolino.

L'HISTOIRE D'UNE NOBLE CONQUÊTE
Le cheval en liberté

Cette conquête réciproque a commencé au bord de la mer Noire, 3 500 ans avant notre ère. Mais cette domestication* récente ne doit pas faire oublier que l'ancêtre direct du cheval est apparu il y a 2,5 millions d'années en Amérique* du Nord et s'y est éteint il y a 10 000 ans, après avoir franchi le détroit de Béring et être parvenu en Europe. Des chevaux domestiques furent plus tard réintroduits sur le continent américain, notamment par Christophe Colomb, et bon nombre d'entre eux retournèrent à l'état sauvage.

L'histoire des équidés* est relativement bien connue grâce à l'abondance des données de la paléontologie*. Cette famille a évolué en 55 millions d'années jusqu'aux espèces actuelles à partir de petits animaux aux allures de lévriers. Les équidés modernes se caractéri-

The Misfits, film de John Huston, 1960. Photographie d'Elliott Erwitt.

sent par leur dentition et leur appareil locomoteur : les dents sont à croissance continue et la marche s'effectue sur un seul doigt terminé par un sabot corné. Peu nombreuse, cette famille comprend les chevaux sauvages* et domestiques, les hémiones*, les ânes* et les zèbres*. À l'heure actuelle, le genre *Equus* compte encore une espèce sauvage sauvée *in extremis* à la fin du XIXe siècle, le cheval de Prjevalski ; le tarpan, disparu à l'état sauvage, a été « recréé » génétiquement. Après avoir domestiqué le cheval et l'âne, il semble en effet que l'homme se soit employé partout à détruire leurs ancêtres sauvages… Dans la nature, le cheval en liberté, ensauvagé ou encore sauvage, s'organise en harems* et en groupes de mâles célibataires composés d'une dizaine d'individus. Ce sont ces groupes que les éthologues observent, car la domestication et les conditions d'élevage modifient les structures sociales des équidés.

Selle français,
École nationale
d'équitation
de Saumur.

Le cheval fabriqué

Il existe plus de deux cents races* de chevaux domestiques. Au cours des siècles, l'homme a sélectionné les animaux en fonction de leur morphologie ou de leur tempérament afin de répondre à des besoins particuliers. La création d'une race chevaline s'effectue par sélection* dirigée à l'intérieur d'une même race, par accouplement consanguin d'individus apparentés ou par croisement d'individus de races différentes, ce qui donne un produit métissé comme par exemple l'anglo-arabe. Les Romains avaient sélectionné les chevaux par croisement, choisissant les meilleurs éléments aux jeux du cirque. Les Arabes ajoutèrent à ce critère de qualité l'harmonie physique, déterminée par les rapports entre les parties. Le cheval arabe*, léger, rapide et endurant, allait constituer un véritable instrument de conquête. Richard Cœur de Lion, au XIIe siècle, rapporta des croisades le goût

des courses* hippiques. Convaincus de la supériorité du sang* oriental, les Anglais firent très tôt prévaloir le critère de vitesse dans le
choix de leurs chevaux. Cette politique systématique aboutit à la
création du pur-sang, dont le premier livre généalogique fut ouvert à
la fin du XVIIᵉ siècle par Guillaume III. Plus rapide que l'arabe, le
pur-sang anglais fut utilisé pour améliorer d'autres races, donnant
ainsi naissance au demi-sang et à l'anglo-arabe. En France, au
XVIIIᵉ siècle, l'administration des haras* créée par Colbert en 1665
pour pallier la ruine de l'élevage privé s'attachait davantage à la
beauté des animaux qu'à des critères rigoureux de sélection étayés
sur des qualités équestres. Bourgelat, fondateur de l'école vétérinaire*
de Maisons-Alfort, détermina les « perfections » à partir d'un canon
géométrique prenant pour mesure la tête du cheval. Aujourd'hui
encore, les Haras nationaux sont chargés de l'orientation de la production, de l'amélioration génétique du cheptel et du contrôle des
organismes chargés de la sélection.

Les races actuellement élevées en France se répartissent en quatre
catégories : chevaux de sang, chevaux de trait, poneys* et races étrangères reconnues. Les poneys ne se différencient des chevaux que par
leur nanisme. La Grande-Bretagne et ses îles ont été les lieux privilégiés de leur élevage. Actuellement, on en recense une dizaine de races
en Angleterre*, et la France possède quelques races autochtones telles
que le pottock et le poney landais.

Honoré
Fragonard
(d'après Albrecht
Dürer),
*Le Cavalier
de l'Apocalypse*,
1766. Écorché.
Maisons-Alfort,
musée Fragonard
de l'école
vétérinaire.

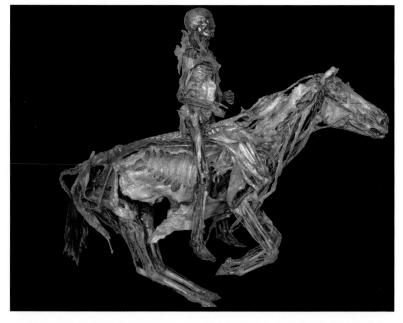

BEAUTÉ ET FRAGILITÉ
Portrait d'un équidé

Le statut particulier que l'homme accorde au cheval transparaît de la manière la plus claire dans le vocabulaire anatomique* qui lui est attaché : ce quadrupède a une bouche, un nez, des jambes, des pieds… Mais cet anthropomorphisme est parfois trompeur : le « genou » du cheval correspond au poignet de l'homme, le « pied » est en réalité l'extrémité du doigt. Ce doigt unique, qui caractérise tous les équidés, est protégé par une enveloppe cornée, le sabot*, dont la croissance continue compense l'usure naturelle. Le travail, conséquence de la domestication, a introduit une usure excessive qui nécessite de le protéger par une ferrure et de l'entretenir par l'application régulière d'onguents.

L'appareil locomoteur du cheval est spécialisé pour les déplacements rapides et la course. Menacé par de nombreux prédateurs, face auxquels il ne dispose d'aucune défense naturelle, l'animal ne trouve son salut que dans la fuite. Son acuité visuelle est assez réduite, mais il est doté d'une vision* panoramique qui lui permet de détecter les mouvements (plus que les formes) dans un champ de 350 degrés. Bien que domestiqué, il reste craintif et très sensible aux objets et aux bruits insolites. L'ouïe est son sens le plus développé, même pendant la plus grande partie du sommeil*. Le cheval ne dort en moyenne que 4 heures par jour et possède la faculté de dormir

Anglo-arabe
au piaffer.

11

debout grâce à un blocage mécanique qui nécessite peu d'énergie : sa vulnérabilité l'oblige à être constamment sur le qui-vive, à la différence d'un prédateur comme le chat qui peut dormir 12 heures par jour… Associée aux mimiques faciales, l'oreille*, particulièrement mobile, participe d'une communication gestuelle que l'homme apprend vite à interpréter : confiance, peur*, agressivité, attention. Parmi les nombreux signaux acoustiques dont dispose le cheval, le hennissement* est le plus connu ; selon sa forme, il lui sert à appeler ses congénères ou à traduire ses humeurs du moment : inquiétude, refus, contentement (mère retrouvant son poulain égaré, étalon mis en présence d'un jument…).

Pour la reproduction*, l'étalon est toujours disposé à s'accoupler alors que le consentement de la femelle est lié aux périodes de fécondité. Après onze mois de gestation, le poulinage est un événement attendu et craint par les éleveurs, du fait de la sensibilité de la jument et de la fragilité du poulain. Le développement de ce dernier est rapide, en particulier la croissance des membres, et le sevrage intervient dans la première année et bien souvent dès le sixième mois.

Des soins adaptés

Le premier aliment du poulain est le lait* de sa mère. Il est très énergétique, riche en protéines, en vitamines et en anticorps. Les juments, mais aussi les femelles d'autres équidés tels l'onagre et l'âne, font encore l'objet d'une traite. Le lait, parfois consommé par l'homme, est le plus souvent utilisé dans la pharmacopée traditionnelle ou comme cosmétique. La traite des juments de trait assure localement un débouché économique à des races menacées de disparition par la mécanisation.

Le cheval actuel est un herbivore exclusif et non ruminant. Il consacre 70 % de son temps à la recherche de nourriture. En pâture, il peut brouter jusqu'à 12 heures par jour, ingurgitant plusieurs dizaines de kilos d'herbe. Mais les efforts que lui impose l'homme nécessitent une alimentation plus riche, constituée de grains (avoine, orge, maïs…) et de fourrages (foin de graminées, trèfle ou luzerne…). Le cheval vit très bien à l'extérieur, et l'écurie* n'a pour objet que de le maintenir dans des conditions de vie propices à en optimiser l'exploitation : maintien d'un poil fin en hiver, donc faible sudation au travail, disponibilité constante, gardiennage aisé… En contrepartie, l'homme doit assurer le pansage de l'animal, avant et

après les exercices. Une bonne hygiène*, une alimentation* équilibrée et une vermifugation régulière permettent d'éviter au maximum les maladies*. Aux troubles fonctionnels tels que les coliques peuvent s'ajouter des troubles* comportementaux répétitifs (tics, manies, névroses…). De nombreux soins médicaux peuvent désormais être dispensés au sein des cliniques privées et des quatre écoles vétérinaires dont la première fut fondée en 1762 à Lyon par Bourgelat. Le record de longévité* du cheval semble être de 62 ans, mais peu d'individus dépassent 30 ans.

Tarpans, Strasbourg, parc de l'Île-aux-Tarpans.

L'ÉVOLUTION D'UNE IMAGE
Un symbole ambivalent

Dans la littérature traditionnelle comme dans la mythologie, le cheval est systématiquement associé au monstrueux, à l'altérité, à la double nature. En témoigne par exemple la figure du Centaure*, mi-homme mi-cheval, tantôt sauvage et brutal (Eurythion), tantôt sage et amical (Chiron). Le cheval ailé Pégase* possède quant à lui une nature multiple : terrestre par sa forme, aérienne par ses ailes, aquatique par son père Poséidon*, monstrueuse par sa mère Gorgone. La licorne* est considérée soit comme la monture d'hommes et de femmes sauvages, soit comme un symbole de pureté et de virginité.

Solaire et lunaire à la fois, puisqu'il tire aussi bien le char du Soleil que celui de la Lune, le cheval est à la fois chtonien et ouranien puisqu'il peut jaillir des entrailles de la terre aussi bien que du fond des océans. Symbole de majesté lorsqu'il est d'un blanc éclatant, il est la monture privilégiée des dieux, des héros, puis des saints* du monde chrétien. Mais il est aussi le cheval à la robe « pâle », couleur de linceul, mentionné dans l'Apocalypse*, ou la monture du Chasseur sauvage dans le folklore européen. Étroitement lié à la mort*, l'animal a un rôle psychopompe dans bon nombre de cultures : selon d'anciens récits germaniques, le mort se rend dans l'au-delà ligoté sur un cheval, ou se transforme lui-même en cheval ; en Asie,

Char tirant le disque solaire, Trundholm (Danemark), âge du bronze, IIᵉ millénaire. Copenhague, Nationalmuseet.

Albrecht Dürer, *Le Chevalier, la Mort et le Diable*, 1513. Gravure sur cuivre, 25 × 19. Paris, Bibliothèque nationale de France.

le quadrupède accompagne le chaman dans ses voyages vers le monde des esprits et participe aux rites de possession ou d'initiation. En tant que monture, il définit l'homme en transe*, désigné comme « le cheval du dieu ». L'animal possède également une connotation sexuelle* marquée, que les poètes ont largement utilisée dans leurs métaphores, et se rattache fortement à la fertilité.

Des usages multiples

Dans les faits, le cheval a rarement l'occasion d'exprimer sa nature sauvage depuis que l'homme l'a domestiqué. Attelé sans doute avant d'être monté, il a été mis à contribution dans la quasi-totalité des activités humaines. Dans l'Antiquité, il est utilisé sur l'aire de dépiquage, fait tourner les meules et assure les échanges des caravanes sur de grandes distances. Sous le bât*, il est concurrencé par le mulet*, dont l'usage demeura dans les armées modernes jusqu'à la Seconde Guerre mondiale. L'invention de la ferrure puis du collier d'épaule

Descente d'un cheval dans la mine, Le Creusot. Gravure d'Alphonse de Neuville (1835-1885).

permet au cheval d'affirmer sa supériorité sur le bœuf pour le labour*. À l'époque moderne, outre les voitures et les attelages* privés, il devient essentiel pour le service des postes et le transport en commun. Dans les rues pavées des villes, sur les chemins de halage, au fond des mines, dans les champs et à la ferme, dans les prairies de Camargue, les pampas d'Argentine et les vastes plaines du Far* West, ainsi qu'aux étals des boucheries, le cheval est partout présent.

Et surtout sur les champs de bataille. Des invasions des peuples* cavaliers à la victoire d'Orient en 1918, le cheval a joué un rôle essentiel dans les armées* du monde entier. Que ce soit dans les combats de chars pendant l'Antiquité, dans la tactique du harcèlement et de la razzia des Arabes, dans la méthode du choc frontal adoptée par la chevalerie* dès le XIIᵉ siècle, dans la charge de cavalerie* inaugurée au XVIIᵉ siècle par Frédéric de Prusse, il constitue une arme redoutable.

Pages suivantes : William Logsdail, *Saint-Martin-des-Champs*, 1888. H/t. Londres, Tate Gallery.

Sauteurs du Cadre noir de Saumur, travail à la main.

Traditions équestres

Cette efficacité ne s'est toutefois imposée que lentement, au fur et à mesure que se développait l'équipement du cavalier. D'abord simple tapis jeté sur le dos du cheval, la selle* avec arçon de bois atteint Byzance au VIIe siècle d'où les Arabes la diffusent au siècle suivant dans toute l'Europe. L'étrier*, mentionné dans un document espagnol vers 840, va également jouer un rôle considérable. Attaché court ou long, il adopte des formes très variées selon les usages. Enfin, le fer* à cheval fait son apparition en Europe à la fin du IXe siècle, à partir des zones où la terre lourde et humide ramollit la corne. L'écuyer Cesare Fiaschi, de Ferrare, publie le premier traité complet de la ferrure en 1556. À la même époque, Grisone, écuyer à l'académie* équestre de Naples, rédige un traité qui inaugure l'équitation* savante. Rapportée d'Italie par La Broüe et Pluvinel, elle atteindra son apogée à Versailles* au XVIIIe siècle. En 1825, Charles X crée l'École royale de cavalerie à Saumur*. Le général L'Hotte, élève de d'Aure pour l'équitation

Croupade.
Sauteur en
liberté, Cadre
noir de Saumur.

d'extérieure et de Baucher pour l'équitation savante, est le plus célèbre des écuyers en chef du manège de Saumur. Depuis 1972, le Cadre noir a intégré l'École nationale d'équitation.

En réalité, il n'existe pas une, mais des équitations, car chaque usage du cheval monté a développé ses propres traditions et dispose de son propre équipement. Du picador au gardien* de bétail en passant par l'écuyer de cour, chacun développe une manière de monter plus ou moins pratique ou savante.

Compétition et loisirs

À la fin de la Seconde Guerre mondiale, la cavalerie a été remplacée par l'arme blindée. Dans les champs, le cheval a été détrôné par le tracteur. Dans les rues, les voitures hippomobiles ont fait place aux véhicules motorisés. Mais il est un domaine où l'animal demeure irremplaçable : les sports* équestres. C'est chez Homère que l'on trouve les premières descriptions de courses hippiques. Elles font partie des jeux d'Olympie et sont pratiquées à Rome et à Byzance. Importées en Grande-Bretagne dès le XIIᵉ siècle et organisées au XVIIᵉ par Jacques Iᵉʳ dans les immenses plaines de Newmarket, elles sont aujourd'hui répandues dans le monde entier. Les paris sur les courses sont mutualisés en France au XIXᵉ siècle et, à partir de 1930, une loi autorise les seules sociétés de courses à organiser le pari mutuel en dehors des hippodromes*.

Le premier concours* hippique, qui a pour mission la mise en valeur de l'élevage français, a lieu en 1866 au palais de l'Industrie à Paris.

Georges Seurat,
Cirque,
1890-1891.
H/t 185 × 152.
Paris,
musée d'Orsay.

En 1902 est disputé le premier championnat du cheval d'Armes, remporté par le capitaine de Saint-Phalle, et les premiers jeux olympiques équestres se tiennent à Stockholm en 1912. Actuellement, les compétitions équestres sont réglementées par une Fédération internationale à laquelle se rattachent les fédérations de chaque pays. Elles figurent parmi les rares compétitions où hommes et femmes concourent à égalité dans les mêmes épreuves : attelage, dressage*, saut d'obstacles*, concours complet, etc. Les sports équestres comprennent également des pratiques très diverses, qui vont de la voltige à toutes sortes de jeux comme le polo ou le *horse ball*.

En cessant d'être un animal utilitaire*, le cheval a acquis dans nos sociétés occidentales un nouveau statut, comme en témoigne le déclin de l'hippophagie*. Longtemps cantonné dans des rôles de figuration, au cinéma* comme au quotidien, il se voit aujourd'hui doté d'une « psychologie » qui fait de lui un héros à part entière.

Patrice FRANCHET D'ESPÈREY

Double page
suivante :
cheval à
l'entraînement
sur un parcours
de cross,
Saumur, 1997.

21

■ Académie équestre

Naples, carrefour des traditions équestres byzantine, espagnole et arabe*, abrita dès le XIIe siècle une académie d'équitation*, où la jeune noblesse acquérait une technique et une pratique adaptées à l'usage guerrier du cheval et à ses déclinaisons (tournoi*, carrousel, chasse* à courre). Avec Grisone, les académies napolitaines connurent dès le XVIe siècle un essor sans précédent. Des écuyers venus de l'Europe entière faisaient le voyage en Italie pour recevoir son enseignement, celui de Fiaschi, qui fonda en 1534 l'académie de Ferrare, ou celui de Pignatelli. À Paris, la première académie fut fondée en 1547 à l'initiative d'Henri II. Le développement de ces établissements s'est surtout affirmé au milieu du règne de Louis XIV, alors que la Grande Écurie du roi donnait l'exemple. En 1730, La Guérinière prit la direction de l'ancien manège des Tuileries, dont il fit une académie d'équitation. Placées sous l'autorité du grand écuyer de France, ces académies rendirent de grands services à l'arme de la cavalerie*. Mais à partir de 1760, après l'institution à Paris par Louis XV d'une école militaire, elles ne purent lutter contre ce nouvel enseignement et ce fut le commencement de leur décadence. Elles disparurent à la Révolution. Du XVIe siècle jusqu'à l'époque de Napoléon III, les écuyers français, à la suite de Salomon de La Broüe (*Cavalerice françois*, 1594) et Antoine de Pluvinel (*Instruction du roy en l'exercice de monter à cheval*, 1625) développèrent l'équitation savante grâce à une longue série d'innovations techniques, dont les plus mar-

quantes sont dues en particulier à La Guérinière et à Baucher : mobilité de la mâchoire, ramener, descente de main, rassembler, effet d'ensemble, légèreté aux aides, ramener outré, petites attaques d'éperon, épaule en dedans, travail au pilier, travail à la main, etc. PFE

Épaule en dedans, gravure de Charles Parrocel extraite de l'*École de cavalerie* de François Robichon de La Guérinière, Paris, 1733.

■ Alimentation

Le cheval actuel est un herbivore exclusif, non ruminant. Ses prémolaires et ses molaires (les dents jugales) sont formées d'une couronne haute, en grande partie « en réserve » dans la gencive, qui émerge de la mâchoire au fur et à mesure de l'usure de la dent. Cette hypsodontie, caractéristique d'espèces consommant des aliments coriaces et abrasifs, est une adaptation qui apparaît dans la lignée du cheval au Miocène, marquant un changement de régime alimentaire (abandon

Sauteur dans les piliers, Cadre noir de Saumur.

des végétaux tendres, des feuilles). Comme l'homme, les premiers équidés* étaient brachyodontes (dents jugales formées d'une couronne basse, entièrement apparente, et de racines).

Dans la nature, le cheval consacre 70 % de son temps à la recherche de nourriture. En pâture, il broute douze heures par jour, ingurgitant plusieurs dizaines de kilos d'une herbe qui lui convient parfaitement. Mais cet aliment et la vie au grand air ne peuvent répondre aux exigences des compétitions, des longues randonnées*, du travail de manège, de la reproduction* dirigée ou de l'élevage performant (fécondité, gestation, lactation, croissance). La ration nécessaire est alors essentiellement constituée de grains et de fourrages, aliments très secs impliquant un apport d'eau (20 à 40 litres par jour). L'avoine, l'orge et le maïs constituent les sources énergétiques et protéiques les plus courantes. Le foin de graminées, dit de pré, apporte cellu-

Cheval de selle, croisement d'un arabe et d'un boulonnais.

lose, minéraux et vitamines ; celui de légumineuses, trèfle ou luzerne, est de surcroît riche en protéines. Les pailles d'avoine, d'orge ou de blé stimulent le transit et servent de litière à l'écurie*. Une pierre à sel peut compléter l'apport en sels minéraux. Carottes, betteraves, pommes coupées en morceaux et même pain sec peuvent être donnés comme friandises, leur valeur nutritive étant toutefois limitée. L'estomac des équidés étant relativement petit (10 à 15 litres), la distribution doit s'effectuer en plusieurs fois. Elle peut être facilitée par l'emploi de granulés fabriqués à partir d'aliments traditionnels broyés, mélangés dans des proportions étudiées et compactés. MP

▪ Allures

En 1878, Muybridge réalisa, grâce à la photographie, la première décomposition fidèle des trois allures du cheval : le pas, le trot et le galop. Depuis l'Antiquité, le galop n'avait jamais été représenté de façon réelle, mais était composé « de telle sorte

Selle français au pas, au trot et au galop.

que le corps de l'animal paraisse toujours équilibré et que le mouvement bien cadencé mette en valeur la beauté des lignes » (J. Charbonneaux, *La Sculpture grecque classique*, 1945). L'Italien Fiaschi avait donné la cadence des allures en utilisant dans son traité la notation musicale, mais les mécanismes de la locomotion du cheval ne faisaient l'objet d'aucune étude. En 1907, le lieutenant-colonel Gossart assimilait le cheval à « deux bipèdes qui se suivent et qui marchent indépendamment l'un de l'autre, à des allures qui peuvent être différentes, pourvu que la durée et la longueur des pas de chacun soient les mêmes ».

Aujourd'hui, l'importance de la mobilité du tronc est reconnue. L'équitation* s'attache à ne pas perturber le bon fonctionnement de la colonne vertébrale du cheval : elle ondule à chaque allure, l'encolure s'incurvant toujours du côté de l'antérieur au soutien et le dos du côté du postérieur engagé. Dans ces conditions, le pas peut être décrit comme une allure marchée, basculante, symétrique, à quatre temps égaux. L'encolure s'abaisse lentement dans l'intervalle des posers successifs et se relève entre chacun d'eux. Le trot est une allure dissymétrique en deux temps, dans laquelle l'antérieur gauche est associé au postérieur droit et l'antérieur droit au postérieur gauche. Les membres se déplacent par paire, le garrot et l'encolure s'abaissant et s'élevant successivement. Le galop est une allure basculante et dissymétrique. L'encolure s'abaisse en même temps que le poser de l'antérieur du dedans suivi du relèvement qui correspond au poser du postérieur du dehors. PFE

« *Si le trot est fait pour paraître et le galop l'allure des maîtres, en revanche, le pas est la mère de toutes les allures.* »

François Baucher.

◼ Amazones

Dans la mythologie grecque, les Amazones sont un peuple de femmes guerrières qui se gouvernent elles-mêmes. En premier lieu, elles révèlent le modèle féminin – inversé – de l'Athénienne : elles n'élèvent que leurs filles, abandonnent ou mutilent les garçons, conservent les hommes pour les travaux serviles et ne s'unissent qu'à des étrangers. En second lieu, elles précisent de la même façon la fonction de l'homme grec, citoyen et hoplite : ces guerrières, qui ne défendent aucune cité, mélangent aux armes traditionnelles de l'hoplite (javelot,

Jean Auguste Dominique Ingres, *Combat d'Amazone*. Dessin d'après un bas-relief antique. Mine de plomb et aquarelle, 25 × 25,2. Bayonne, musée Bonnat.

casque, bouclier, cuirasse) l'équipement du barbare (arc, hache, vêtement rayé, bonnet, cheval). La légende affirme qu'elles s'amputent d'un sein pour mieux manier l'arc, ce que vient appuyer une ancienne étymologie fantaisiste reconnaissant dans le mot *amazone* le grec *mazos* (variante de *mastos*, « sein ») précédé d'un *a-* privatif. Au XVIIᵉ siècle, *amazone* a désigné une femme courageuse, belliqueuse, puis une femme qui monte à cheval (en s'asseyant de côté). La première selle*, la

Sambue, petit siège à haut dossier posé sur un bât*, interdisait à la dame, assise perpendiculairement à sa monture, les pieds posés sur une planchette, de diriger efficacement son cheval ; elle devait être accompagnée d'un autre cavalier qui tenait les rennes. Marie de Bourgogne, au XVᵉ siècle, avait été la première à oser transgresser les règles établies en montant et en dirigeant son cheval elle-même. Au siècle suivant, Catherine de Médicis généralisa la monte « en amazone » chez les cavalières de grande famille. Une partie du dosseret fut supprimée, laissant un pommeau très proéminent autour duquel pouvait s'enrouler le genou droit. CG

◼ Amérique

L'aire de répartition des différentes espèces d'équidés* sauvages (hémione*, âne*, zèbre*) est aujourd'hui circonscrite à l'Ancien Monde. La paléontologie* révèle pourtant que le berceau du cheval est situé sur le continent américain – certains sites abritent au moins 7 espèces d'équidés appartenant à 4 genres distincts. L'ancêtre direct du cheval domestique* est apparu en Amérique du Nord, il y a 2,5 millions d'années, avant de s'éteindre probablement durant la dernière époque glaciaire, il y a 10 000 ans. Entre-temps, plusieurs espèces étaient parvenues en Europe au Pliocène en franchissant le détroit de Béring. Le cheval domestique fut introduit sur le continent américain en plusieurs vagues : par Christophe Colomb en 1493 à Saint-Domingue (au cours de son deuxième voyage, il embarqua 12 étalons* et quelques juments) puis par les conquistadors espagnols de Cortés. Juan

de Onate franchit le Rio Grande avec 400 colons, 6 000 têtes de bétail et 325 juments, étalons et poulains*. Ces chevaux permirent de contrôler les gigantesques troupeaux de bétail qui se répandirent peu à peu dans l'immensité des prairies américaines, du Mexique au Canada. Le travail du cheval de ranch dut répondre aux contraintes des longues distances et le cavalier acquit un style décontracté. Pour se ménager, le cheval développa une foulée ample et coulante.

Dès la fin du XVIᵉ siècle, de nombreux chevaux retournèrent à l'état sauvage*. Chevaux marrons ou mustangs, ils participent aujourd'hui encore de la représentation du Far* West. Les Amérindiens capturèrent très tôt ces mustangs et improvisèrent leur propre façon de les dresser et de les monter. Leur mode de vie orienté vers la chasse s'en trouva transformé et, en deux générations, ils devinrent des cavaliers aussi émérites que ceux des steppes de l'Asie. PFE

Herman Cortés et ses capitaines espagnols, détail d'un paravent attribué à Juan Correa, début du XVIIIᵉ siècle. Mexico, Banque nationale.

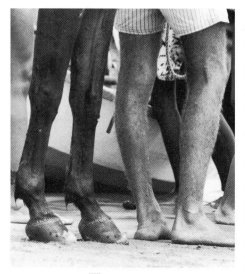

Brésil, 1990.
Photographie
d'Elliott Erwitt.

Miniature
provenant
de Tabriz (Iran),
fin du XVᵉ siècle.
Pigments et or
sur papier,
24 × 43.
Istanbul, Topkapi
Sarayi Müzesi.

▓ Anatomie

Ce n'est qu'à partir de la Renaissance que parurent en Europe les premiers ouvrages concernant l'anatomie du cheval, notamment l'*Anatomia del cavallo* (1598), publiée sous le nom de Carlo Ruini mais attribuée également à Léonard de Vinci, et le cours d'*Hippiatrique ou Traité complet de la médecine des chevaux* de Philippe Étienne Lafosse (1772), dans lequel l'anatomie est la partie la mieux développée. Les techniques de la médecine humaine furent ensuite mises à profit dans les écoles vétérinaires* et permirent d'expliquer les formes par les structures sous-jacentes.

Les termes utilisés pour décrire le cheval sont plus ou moins spécifiques : ars, auge, chanfrein, encolure, ganache, salière… Certains évoquent son usage domestique et mettent en exergue le travail de l'homme dans l'équitation* ou le dressage* : avant-main, arrière-main… Mais la particularité la plus notable de ce vocabulaire est qu'il emprunte beaucoup à l'anatomie humaine. Ainsi, le cheval est doté d'une bouche et non d'une gueule, d'un nez et non d'un museau ou d'un mufle, de jambes et non de pattes. Cette assimilation induit une représentation forte du cheval, par laquelle cette espèce acquiert un statut particulier, tant vis-à-vis du reste du monde animal que du monde humain. Toutefois, certaines appellations n'ont pas la même signification anatomique : le genou du cheval correspond au poignet de l'homme, le pied proprement dit à un bout du doigt, le grasset au genou, le jarret à la cheville. En outre, l'absence de clavicule et l'existence d'un ligament reliant le fémur au pubis limitent singulièrement l'abduction des membres. MP

■ Âne

L'âne est un équidé* dont il existe deux espèces sauvages (âne de Nubie, âne de Somalie) et plusieurs races domestiques (baudet du Poitou, grand noir du Berry, âne commun…). L'onagre, généralement qualifié d'âne sauvage, est en réalité une espèce à part entière, classée par les scientifiques dans le groupe des hémiones*.

L'aire de répartition naturelle des deux espèces sauvages est historiquement cantonnée au continent africain. L'âne de Somalie, présent au sud des monts d'Abyssinie, mesure 1,40 m au garrot et possède une robe gris souris zébrée sur les jambes. L'âne de Nubie, présent en Érythrée, entre la mer

Rouge et le fleuve Atbara, mesure 1,15 m au garrot ; sa robe d'un gris roussâtre est marquée de la croix scapulaire. Chassés pour leur viande, les ânes sauvages ont été domestiqués postérieurement au cheval, probablement au cours du IIIe millénaire en Égypte.

L'âne domestique*, animal de prestige en Asie Mineure, est en Occident symbole de pauvreté et d'humilité. Pendant des millénaires, il fut la bête de somme la plus utilisée pour les travaux pénibles, tirant la charrue, tournant les meules... C'est encore l'animal de bât* le plus employé dans les pays en voie de développement. Il présente une grande variabilité de robe* (du rose au pie en passant par le blanc, le gris et le bai brun) et de taille (de 0,80 à 1,60 m). Croisé avec le cheval, il donne des hybrides : l'ânesse saillie par un cheval donne le bardot, la jument couverte par un âne (baudet du Poitou par exemple) produit le mulet* ou la mule. PFE

■ Angleterre

Très tôt, les Anglais ont fait prévaloir le critère de la vitesse dans le choix de leurs chevaux et dans l'amélioration des races*, convaincus de la supériorité du sang* oriental importé déjà à l'époque de Richard Cœur de Lion, au XIIe siècle. La politique systématique de croisement qu'ils ont poursuivie pendant des siècles

Pur-sang anglais.

aboutit à la création du pur-sang, confondu dans son histoire avec celle des courses*. Le pur-sang est donc un animal étranger transformé par les conditions d'élevage et de milieu pour devenir un cheval authentiquement anglais, plus grand et plus rapide que l'arabe*, un « ultra longiligne à grands rayons ». Au XVIIe siècle, Charles II poursuivit une politique du cheval qui allait résister à la guerre civile et importa les *royal mares* (« juments royales »), d'aussi grande qualité que les étalons* orientaux. Puis le premier volume du stud-book (livre généalogique) officiel fut ouvert sous Guillaume III, à la fin du XVIIe siècle. Les trois piliers de la race étaient : Byerley Turk, Darley Arabian et le célèbre Godolphin Arabian (voir Littérature). Un Anglais, Edward Coke, ayant remarqué ce cheval arabe qui tirait une voiture d'arrosage public, l'acheta et le revendit vers 1730 à lord Godolphin. Une autre version de l'histoire, plus prestigieuse, en fait un cadeau du bey de Tunis à Louis XV, cadeau étrangement méconnu par un souverain grand amateur de chevaux ! De ces trois étalons naquirent Matchem, Hérod et Éclipse, qui sont à l'origine des trois seules souches figurant au stud-book à partir de 1791 et dont tous les pur-sang du monde descendent aujourd'hui. PFE

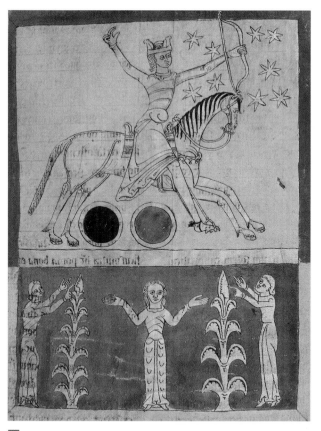

*Le Cavalier
de l'Apocalypse.*
Miniature extraite
de *L'Apocalypse
de saint Jean
de Lorvao,*
XIIᵉ siècle.
Lisbonne,
Arquivo Nacional
da Torre
do Tombo.

▪ Apocalypse

L'Apocalypse, rédigée à la fin du
Iᵉʳ siècle après J.-C., forme le
dernier livre du Nouveau Testament. Attribué par la tradition à
saint Jean l'Évangéliste, ce texte
prophétique annonce la destruction des « méchants », la chute
de Satan et l'avènement de la
Nouvelle Jérusalem en une suite
de « visions » fantastiques dont
le symbolisme obscur a permis
de multiples interprétations au
cours des époques. Dès la
renaissance carolingienne, l'art
religieux s'est inspiré des principaux motifs apocalyptiques,
dont celui des « quatre cavaliers » (Apoc., IV, 1-8). Les gravures de Dürer, au XVᵉ siècle,
ont profondément influencé ces
représentations en Europe. Surgissant des ténèbres à l'ouverture des quatre premiers sceaux
fermant le livre qui contient les
secrets de la destinée humaine,
les quatre cavaliers chevauchent
des montures de couleurs différentes. Le premier, le Conquérant (le Moyen Âge y verra le
symbole du Christ et de
l'Église), tient un arc et monte
un cheval blanc ; la Guerre,
armée d'une épée, chevauche un
animal roux ; la Famine, sur un
cheval noir, porte une balance ;
la Mort, enfin, possède une
monture de couleur « pâle ». Il
n'est pas étonnant de voir ainsi
le cheval associé aux fléaux et à
la destruction. Nombreuses sont
les cultures dans lesquelles l'animal, avant de fournir le modèle
de l'héroïsation équestre, est
présage de mort*. CG

▪ Arabe

L'empire arabe s'est constitué en
un siècle grâce à l'emploi de
chevaux légers, rapides et endu-

Miniature extraite du *Livre des chevaux* d'Ahmed Ibn Hasan Ibn al-Ahn, XIIIe siècle. Le Caire, Bibliothèque nationale.

rants, et d'une tactique originale, le raid, la razzia et le harcèlement. Instrument de guerre* et compagnon de vie, le cheval arabe, introduit tardivement en Arabie, est d'origine iranienne et syrienne. Les Romains avaient sélectionné les chevaux par croisements, choisissant les meilleurs éléments aux jeux du cirque ; les Arabes ajoutèrent à ce critère de qualité l'harmonie physique, déterminée par les différents rapports entre les parties. Toutefois, le cheval arabe ne constitue pas une seule race* et les Arabes eux-mêmes en distinguaient une quinzaine de variétés comprenant chacune une dizaine de familles. Un millénaire plus tard, quelques-uns de leurs descendants engendrèrent la race des pur-sang anglais, la plus rapide du monde. L'héritage équestre des Arabes est double : d'une part, le goût des courses* (sur des distances allant jusqu'à 12 km), rapporté en Angleterre* par Richard Cœur de Lion après les croisades ; d'autre part, la monte « à la zénète », transmise au monde occidental par l'intermédiaire des Espagnols à l'époque où ils dominaient le royaume de Naples. Cette monte, faite pour le combat individuel, était particulièrement adaptée au genet d'Espagne. Le cavalier maure, protégé par une armure légère, étrivait court et pratiquait des attaques toutes de rapidité, de maniabilité, au mépris du danger, à la différence des chevaliers* qui étrivaient long et misaient sur la puissance du choc. En matière d'hippiatrie*, la médecine du cheval, l'Islam recueillit et développa la tradition byzantine. PFE

35

■ ARMÉE

Attelé ou monté, le cheval est très étroitement associé à l'armée. Il n'est d'ailleurs pas le seul équidé* à y avoir fait carrière : à Sumer et en Égypte, l'onagre et l'âne* ont été des montures de prestige et de guerre ; dans le monde occidental, l'âne a permis la production de mulets*, dont le pied sûr, le calme et la robustesse ont fait des auxiliaires précieux, largement utilisés comme animaux de bât* par les armées du monde entier. Des invasions des peuples* cavaliers jusqu'à la victoire d'Orient du maréchal Franchet d'Espèrey, en 1918, le cheval a joué un rôle essentiel dans les combats. Avec la méthode du choc frontal, notamment, adoptée par la chevalerie* dès le XIIᵉ siècle, il constitue une arme redoutable : l'efficacité de la lance ne dépend plus de la force de bras du cavalier, mais de la puissance de sa monture lancée au galop.

Ernest Meissonier, *La Campagne de France*, 1864.
H/b 51,5 × 76,5 . Paris, musée d'Orsay.

La cavalerie* n'est pas la seule à se fournir en chevaux : forces de liaison, d'intendance, de police l'ont aussi largement utilisé. Ces dernières années ont vu la réapparition de policiers à cheval. Haut perchés, dominant le piéton, ces cavaliers sillonnent calmement les parcs, cherchant à l'évidence à faire oublier les images plus musclées de leurs collègues motorisés – ces « cow-boys », justement, adeptes des crissements de pneus frénétiques. Cet engouement pour le cheval a donc perduré au-delà de la pertinence de son usage, et son retour dans les forces de police témoigne des liens étroits qui de tout temps se sont forgés entre cette espèce, le pouvoir politique et la force armée. PFE

■ ATTELAGE

Le cheval a été attelé avant d'être monté, bénéficiant du savoir-faire de l'attelage à la charrue ou au char d'autres animaux domestiques, comme le bœuf. La domestication* a permis la conquête de la puissance de traction de cette espèce, que l'homme a abondamment utilisée du commerce à l'agriculture, du char de guerre à la poste, de l'omnibus urbain au halage des péniches. Si les premières voitures, peu nombreuses (trois carrosses dans tout Paris en 1550), étaient sans suspension, la carrosserie de luxe atteignit son apogée sous le règne de Louis XV. Dès cette époque, on trouve les principaux genres de voitures de maître qui existeront jusqu'à l'apparition de l'automobile : berlines, diligences, coupés, landaus, calèches, briskas, sociables, phaé-

Omnibus à deux chevaux , ligne Plaisance-Hôtel de Ville, Paris, 1912.

tons, carricks, cabriolets. Outre les voitures et les attelages privés, le cheval était essentiel pour le service des postes et le transport en commun. Les Messageries royales, créées en 1775 par Turgot, supprimées à la Révolution puis rétablies en 1791 sous le nom de Service des postes, aboutirent au XIXe siècle au service de diligences, chaque voiture pouvant transporter jusqu'à soixante voyageurs à la grande allure de quatre à huit chevaux. Au début du XXe siècle, la France comptait encore 40 000 chevaux de roulage, 20 000 chevaux de poste et 100 000 chevaux urbains pour la seule ville de Paris. Le bruit des sabots sur les pavés, les odeurs de crottin et les « embarras » dus aux très nombreux attelages disparaîtront peu à peu avec l'apparition des premières voitures automobiles. PFE

La Conquête de l'Ouest, film d'Henry Hathaway, 1962.

◼ Bât

Le bât est une sorte de selle* que l'on place sur le dos des bêtes de somme pour le transport de leur charge. Le cacolet est un bât garni de sièges à dossier et servant à transporter des voyageurs ou des blessés. L'habitude de faire porter des charges à des animaux a probablement précédé la monte. Selon les régions du monde, diverses espèces furent mises à contribution : le chameau, l'éléphant, le lama, ou, comme dans nos régions, le cheval, l'âne* et le mulet*. Ce dernier est considéré comme le meilleur porteur, tandis que le cheval est le moins résistant des trois à la fatigue et possède le pied le moins sûr. On estime que la charge maximale que peut porter un cheval en condition équivaut à 20 % de son propre poids. Ainsi, un cheval de 500 kg peut porter 80 kg, ce qui donne une charge utile de 55 kg pour un poids de bât de 25 kg. Avec l'aménagement des routes, les voitures hippomobiles remplacèrent peu à peu les animaux de bât, excepté dans les régions montagneuses. C'est au milieu du XIXe siècle, lorsque les chemins de fer se développèrent, que les convois de mulets disparurent définitivement. L'usage en demeura dans les armées* modernes jusqu'à la Seconde Guerre mondiale et la Suisse fut la dernière à s'en séparer. De leur côté, les chevaux de bât furent toujours utilisés par les cavaliers car les ânes ne pouvaient suivre le rythme des allures* des chevaux montés. Dans les immenses étendues américaines, dépourvues de routes, l'usage du cheval de bât s'est perpétué jusqu'à nos jours, en particulier chez les gardes forestiers des parcs naturels. PFE

■ CAVALERIE : Lourde ou légère

Les plus anciennes troupes armées ayant utilisé le cheval sont les peuples ayant pratiqué sa domestication*. Depuis les steppes asiatiques, la pénétration du cheval et des innovations techniques en matière d'équitation* ou de combat s'est faite par le biais des grandes invasions cavalières, du IIᵉ millénaire avant notre ère jusqu'aux XIIIᵉ et XIVᵉ siècles. L'ère des cavaleries commence avec la constitution de la charrerie, l'animal étant attelé* à un char transportant le cocher et un archer. Ce sont les Assyriens puis les Perses qui vont créer le principe d'une véritable cavalerie, combattant à l'épée, à la lance ou à l'arc. Cette cavalerie sera bouleversée par les fantassins de la phalange grecque de Philippe de Macédoine, plus lourde,

constituant une arme de choc et de pénétration. Les royaumes francs et wisigoths recourent à une cavalerie cuirassée, qui deviendra la chevalerie*, hétérogène, capable de rassemblements temporaires mais de cohésion précaire. Il faut attendre le XIIᵉ siècle pour qu'apparaisse à ses côtés une sergenterie montée et roturière, plus légère. Le choc entre les peuples* cavaliers et la chevalerie occidentale effacera rapidement la suprématie des cavaliers cuirassés.

En France, Charles VII institue les « compagnies de gens d'armes d'ordonnance ». Ce sont ces « gendarmeries professionnelles » qui se créent dans toute l'Europe qui donneront naissance aux cavaleries modernes. Au XVIIᵉ siècle, les soucis d'approvisionnement et de qualité des montures font que les cavaleries ne remportent aucun succès stratégique majeur, exception faite des manœuvres de Turenne (1674-1675), de Marlborough (1704) ou de Villars (1712). Au siècle suivant, la cavalerie se spécialise (hussards). Si elle manque aux généraux de la République, Napoléon sait user à merveille de cette arme. Peu à peu, les missions stratégiques et tactiques de la cavalerie s'épuisent devant la montée de la puissance de feu, mais le « romantisme » de la charge hantera les cavaliers français jusqu'à Sedan. Entre 1918 et 1939, l'apparition des engins motorisés marque le déclin de la cavalerie. Depuis 1942, en France, elle est intégrée à l'« arme blindée » et son école est à Saumur*. PFE

■ Centaure

Dans la mythologie grecque, les Centaures étaient des monstres hybrides participant d'une double nature, bestiale et humaine : leur tête, leurs bras et leur buste étaient humains, le reste de leur corps et leurs jambes étaient ceux d'un cheval. Vivant dans les forêts et les montagnes, ils seraient nés soit du viol d'une Nuée par Ixion, soit de Phylira et de Cronos. Les Centaures étaient caractérisés par leur sauvagerie et leur violence ; on les disait adonnés à l'ivresse – car incapables de boire du vin sans se saoûler – et à la luxure, et on les représentait souvent dans le cortège des adorateurs de Dionysos, le dieu du Vin. Les Centaures furent chas-

Théodore Géricault, *Artillerie à cheval de la Garde impériale changeant de position*, 1819. Lithographie, 30 × 38,4. Rouen, musée des Beaux-Arts.

Rosso Fiorentino,
*L'Éducation
d'Achille* (détail),
1536-1539.
Fresque.
Musée national
du château
de Fontainebleau,
galerie
François Ier.

sés de Thessalie pour avoir tenté, dans la frénésie de l'ivresse, d'enlever l'épouse de Pirithoos, roi des Lapithes, lors même du festin de mariage. La bataille entre les Centaures et les Lapithes a fourni à la sculpture un très beau sujet, illustrant la lutte entre la sauvagerie et la civilisation.

Il existait pourtant deux notables exceptions parmi ces créatures bestiales : Pholos, ami d'Héraclès, et surtout Chiron, célèbre pour sa bonté, son savoir et sa sagesse, qui fit l'éducation de plusieurs héros grecs, parmi lesquels Achille et Jason. Au Moyen Âge, la figure ambiguë du Centaure, dont le visage est empreint de tristesse, car soumis à sa nature sauvage, sera opposée à celle du chevalier*, qui a su dompter l'animal. CG

■ Chasse à courre

La chasse à courre, ou vénerie, est une technique de chasse consistant à conduire l'animal à la mort par épuisement en le poursuivant à l'aide d'une meute de chiens. Apanage de la noblesse détentrice de fiefs, elle fut codifiée dès le XIVe siècle, comme en témoigne le premier traité cynégétique occidental, *Le Livre de la chasse*, rédigé en 1388 par Gaston Phœbus. Prolongeant l'art de la guerre*, pour lequel elle fut une véritable propédeutique, la chasse à courre était un moyen d'exercer chevaux et cavaliers en temps de paix, dans une activité digne de ses représentants.

Définir le cheval de chasse est difficile car il doit correspondre à la fois au territoire qu'il pratique et aux exigences de la

mettre d'écouter et franc pour pénétrer dans les taillis, les fourrés, les mares et les gués. En Angleterre* et en Irlande, ainsi que dans la région de Pau, la chasse au renard permet au contraire de galoper en franchissant beaucoup d'obstacles naturels (talus, banquettes, fossés, haies ou barrières). En France, le courre du sanglier nécessite une robustesse et une rusticité plus grandes que le courre du cerf, qui demande plus de sang* mais peut-être moins de fond ; quant au courre du chevreuil, il peut se contenter d'un cheval plus léger. En même temps que les chiens français devenaient plus perçants par apport de sang anglais, les lourds chevaux s'affinèrent au siècle dernier pour pouvoir suivre le train de la meute.

Mettre en confiance un cheval de chasse est l'art de lui rendre familiers la forêt, la trompe, les claquements de fouet à ses oreilles, la meute des chiens qu'il apprendra à regarder de face avant de les savoir derrière lui. PFE

chasse : allant, énergique et résistant pour suivre les bien-allers et les débuchers, mais aussi calme à l'arrêt pour per-

Chasse à courre, Anjou, février 1999.

■ CHEVALERIE
Le cheval au service du Christ

À Rome, le chevalier est un citoyen appartenant au deuxième des trois ordres établis par Romulus : patriciens, chevaliers et plébéiens. Au partage de l'empire de Charlemagne, le territoire français tombe dans une « anarchie » totale. Dans cet état d'insécurité se développent les liens directs entre hommes, et de ces relations instables naît le système féodal. Lorsque, dans l'initiation de l'adoubement, le guerrier qui est désormais un cavalier reçoit ses armes au nom de Dieu, il devient un chevalier. Au XIᵉ siècle, à l'apogée de la chevalerie, trois « voies » s'instaurent, qui correspondent à l'accentuation des fonctions spirituelles par rapport au rôle social : la chevalerie profane, fondée sur le fief, la chevalerie errante et la chevalerie religieuse (ordre du Temple…). La petite

Cinéma

Le cinéma, dès sa préhistoire, a fait appel au cheval : l'Anglais Muybridge et le Français Marey ont tous deux mis au point des dispositifs permettant d'étudier le galop de l'animal, révélant ainsi que les représentations* des peintres étaient jusque-là incorrectes. En 1894, un an avant la première projection publique des frères Lumière, le kinétoscope d'Edison enregistre les numéros de cirque du célèbre Buffalo Bill et de sa troupe. Mais c'est en 1903, avec *The Great Train Robbery* de E. S. Porter, que le cheval démarre véritablement sa carrière dans un genre prometteur : le western. Jusqu'en 1915 fleurissent les *horse operas*, séries fabriquées à une cadence industrielle et dont l'appellation constitue à elle seule le synopsis commun. Jusqu'à l'émergence du western psychologique, vers 1945, le cheval jouera un rôle presque aussi important que le cavalier dont il est inséparable. Mais, tout comme dans les films de cape et d'épée, il n'est

Crin-Blanc, film d'Albert Lamorisse, 1952.

Benoît de Sainte-More, *Roman de Troie,* 1264. Paris, Bibliothèque nationale de France.

guerre sainte contre l'Infidèle permet au chevalier de se connaître lui-même ; la grande guerre sainte, d'ordre intérieur, est celle qu'il mène contre le « dragon » qui l'habite. Ainsi la croisade constitue-t-elle le lieu où s'accomplit la « voie chevaleresque ». Entre deux expéditions en Terre sainte, tournois* et chasse* à courre sont un entraînement indispensable. Le chevalier n'utilise que des armes de choc : la lance, l'épée, la hache (les armes de jet relèvent de la traîtrise). Son armure défensive ne cesse de se perfectionner et la cotte de mailles des Normands est peu à peu remplacée par l'armure complète faite de plaques de fer articulées recouvrant le corps entier. Ainsi équipé, le chevalier n'est vulnérable qu'aux coups de ses pairs. Mais désarçonné, incapable de se relever, il périt saigné à blanc ou est échangé contre une rançon. La chevalerie, d'abord accessible à tout homme libre, s'est peu à peu « étatisée » au profit des grands ; domestiquée, elle a fini par se confondre avec la noblesse. PFE

Championnat d'Europe de saut d'obstacles, Mannheim, 1997.

qu'un figurant – dont on n'hésite pas à risquer la vie dans des cascades parfois mortelles. Avec l'apparition d'un nouveau discours sur le cheval, dotant celui-ci d'une « psychologie » et insistant sur la qualité des relations que le cavalier doit entretenir avec lui, comme au sein d'un couple, l'animal peut enfin accéder à des rôles de premier plan. Il abandonne alors les films d'action pour émouvoir petits et grands. En 1969, c'est un garçon de ferme (Fernandel) qui rachète à son patron un vieux cheval qui doit être livré à un picador pour les corridas (*Heureux qui comme Ulysse* d'Henri Colpi), mais bien souvent ces histoires d'amour mettent en scène des enfants : *Crin-Blanc* (A. Lamorisse, 1952), *La Revanche de Pablito* (R. Gavaldon, 1955), *L'Étalon noir* (C. Ballard, 1979)... La télévision à son tour a su exploiter le thème, notamment avec le célèbre feuilleton *Poly* retraçant les aventures d'un jeune garçon et d'un poney*. PFE

■ **Concours**

Les compétitions équestres sont réglementées par la Fédération équestre internationale, à laquelle se rattachent les fédéra-

tions de chaque pays. Ces organisations veillent au bon déroulement des épreuves, dans le respect de l'animal et de son cavalier. Il existe plusieurs types de compétitions : saut d'obstacles*, attelage*, dressage* et concours complets. Dans un concours d'attelage, à deux ou quatre chevaux (ou quatre poneys*), quatre épreuves permettent d'évaluer les qualités de l'équipage : présentation, dressage, maniabilité et marathon. Dans le concours de dressage, chaque cavalier exécute une reprise, c'est-à-dire une suite de figures au pas, au trop puis au galop. Un jury composé de cinq personnes note alors les moindres détails, comme la position du cavalier ou la soumission du cheval. Le concours complet est une épreuve spectaculaire et prestigieuse, mais très éprouvante : le cavalier doit exécuter successivement et avec le même cheval une reprise de dressage, un parcours de cross à travers la campagne ou dans la forêt, parsemé d'obstacles naturels fixes (tronc d'arbre, haie, rivière, fossé, gué) et un parcours de saut d'obstacles. À l'issue de ces trois tests, les cavaliers sont classés en fonction des points et des pénalités qu'ils ont obtenus. CG

■ COURSES

C'est avec Homère que l'on trouve les premières descriptions de courses de chevaux. Elles font partie des jeux grecs d'Olympie, sont pratiquées à Rome puis à Byzance. Tout au long du IIe millénaire, les souverains d'Angleterre* s'y intéressent et créent une race* spécialisée, le pur-sang anglais, à partir de chevaux arabes* ramenés d'Orient après les croisades. En France, les initiatives sont plus timides. Napoléon, dans le but de fournir à l'agriculture et à ses armées* des éléments améliorés, rétablit les courses balayées par la Révolution et les dote de prix et de règlements. Au cours du XIXe siècle, des sociétés d'encouragement voient le jour et prennent la relève de l'État, mais toujours sous sa tutelle. Elles établissent des programmes, gèrent les hippodromes* et font appliquer à chaque spécialité (plat, obstacle, trot) des codes spécifiques mis au point par les principales d'entre elles, les sociétés mères. Ce modèle est toujours d'actualité, si ce n'est que les sociétés supervisant le plat et l'obstacle ont fusionné en 1992 pour donner France Galop, le trot restant autonome avec la Société d'encouragement à l'éle-

Course de trotteurs, Seiche-sur-Loire, avril 1999.

vage du cheval français. Les courses de plat ont lieu à l'allure* du galop sur des pistes souples, le « turf ». Les courses d'obstacles* se déroulent au galop également, les chevaux devant sauter soit uniquement des haies soit des obstacles variés (steeple-chase). Les chances sont équilibrées par un handicap de poids, ajusté au niveau de la selle* si le jockey est trop léger, et déterminé selon l'âge, le sexe ou les victoires de la monture. Les galopeurs sont en majorité des pur-sang anglais, mais certains des produits de leur croisement avec des races de demi-sang, les « AQPSA » (autres que de pur-sang anglais), leur tiennent tête, surtout en obstacle. Les courses au trot comportent deux disciplines dans lesquelles la totalité des gains est seule considérée pour un éventuel recul au départ (jusqu'à 50 mètres) : le trot attelé, le cheval tractant un sulky et son driver, et le trot monté, spécialité typiquement française soutenue par des prix moyens plus élevés et dans laquelle le poids du jockey n'est pas pris en compte. Les trotteurs français ont été sélectionnés au siècle dernier à partir de races locales et de chevaux importés, dont des pur-sang anglais et des arabes. MP

49

■ DOMESTICATION
Une innovation décisive

Il semble que la domestication du cheval ait débuté dans les steppes du nord de la mer Noire, il y a environ 6 000 ans, ainsi que l'attestent les découvertes du site de Dereivka, dans le sud de l'Ukraine (six mors en bois de cerf, dents jugales présentant des usures non naturelles). V. Eisenmann détaille les multiples critères permettant de s'assurer de la domestication d'une espèce. Ce processus qui transforme un animal sauvage* en une espèce élevée par l'homme induit des modifications quantitatives (les premiers chevaux domestiqués ont une taille inférieure à celle de leurs ancêtres sauvages) et qualitatives (le dessin émaillé des dents se modifie). La structure des troupeaux et l'âge d'abattage évoluent. Sur un site, la présence d'animaux âgés, l'absence de colonnes vertébrales, une proportion égale de mâles et de femelles indiquent un prélèvement sur la faune sauvage. En revanche, la disparition d'animaux âgés, la supériorité numérique des femelles, la présence de squelettes entiers renvoient à l'élevage. En ce qui concerne le cheval, la présence d'éléments de harnais (mors) ou de décoration (phalères) fournit des preuves tangibles de la domestication. Élevage et sélection* induisent rapidement l'apparition de caractéristiques spécifiques inconnues dans le monde sauvage (crinière tombante, nouvelles couleurs de robe*). Les représentations artistiques complètent l'analyse paléontologique* : la présence d'animaux blancs ou pie, une longue crinière tombante désignent à coup sûr des chevaux domestiques.

Avant l'obtention du cheval domestique, l'homme s'est livré à plusieurs tentatives tant sur les équidés* africains (zèbres* et ânes* sauvages) que sur les équidés asiatiques (chevaux, hémiones*). Il a d'abord utilisé l'animal pour sa force tractrice, à l'instar des bovidés, avant d'avoir l'idée d'en faire sa monture. Cette innovation que représentait la domestication du cheval, attelé ou monté, s'est diffusée rapidement grâce aux migrations des peuples* cavaliers et aux échanges commerciaux. Née dans les steppes, elle atteignit l'Europe occidentale au cours du IIe millénaire avant notre ère, bouleversant les techniques (transport, agriculture), les relations entre les peuples et l'art de la guerre*. PFE

Dressage

Sous l'Ancien Régime, l'équitation* était l'apanage quasi exclusif de la noblesse. Pluvinel, en mettant le jeune Louis XIII à cheval, considérait qu'il lui enseignait à se diriger au milieu du danger et par là même lui apprenait l'art de gouverner les hommes. Les meilleurs écuyers ont de tout temps projeté sur le cheval certains de leurs propres traits psychologiques et en ont tenu compte dans les relations qu'ils ont établies avec lui, privilégiant la douceur et la discrétion dans l'emploi de leurs procédés. « Je me suis toujours bien trouvé […] en recherchant la manière de lui travailler la cervelle, plus que les reins et les jambes, en prenant garde de ne l'ennuyer, si faire se peut, et d'étouffer sa gentillesse : car elle est aux chevaux comme la fleur sur les fruits, laquelle ostée ne retourne jamais » (Pluvinel, *Instruction du roy en l'exercice de monter à cheval*, 1625).

On peut dresser un cheval par toutes sortes de moyens, mais l'équitation classique privilégie le « toucher », qui s'exerce sous forme de pressions des jambes et de la main du cavalier – des jambes sur les flancs du cheval et de la main sur la commissure des lèvres ou sur les barres par l'intermédiaire des rênes et du mors – et des pesées d'assiette ; s'y ajoutent la voix qui rassure et les caresses qui réconfortent. Ces aides « naturelles » sont les avertissements dont se sert le cavalier pour faire connaître ses volontés au cheval et lui faciliter l'intelligence et l'exécution de ce qu'il lui demande.

De nos jours, les concours de dressage de haut niveau (championnats nationaux, internationaux, jeux Olympiques) comptent parmi les épreuves les plus spectaculaires. Les critères retenus sont en partie ceux de l'équitation savante : légèreté du cheval aux aides qui doivent rester invisibles pour le spectateur, aisance du cavalier, harmonie du couple… PFE

Roumanie, 1968.
Photographie
de Josef Koudelka.

Appuyer au trot,
Cadre noir
de Saumur.

« *Un roy, étant bon cavalier, saura mieux gouverner ses peuples, quand il faudra les récompenser ou les châtier, quand il faudra leur tenir la main serrée ou quand il faudra la relâcher […], ou en quel temps il sera convenable de les éperonner.* »

William Cavendish, duc de Newcastle, XVIIe siècle.

Théodore
Géricault,
*Cinq chevaux
vus par la croupe*,
1812-1814.
H/t 38 × 46.
Paris, musée
du Louvre.

▨ Écurie

L'« escuerie » désignait au XIIIe siècle la fonction d'écuyer (palefrenier qui s'occupait des montures du chevalier*), avant de s'étendre au local des écuyers et de leurs chevaux. À partir du XVIIe siècle, le sens se réduisit au logement des seuls chevaux. Le plus souvent, le véritable objet de l'écurie n'est pas de protéger des intempéries, du froid ou des terreurs de la nuit un locataire qui vit très bien, si ce n'est mieux, en permanence à l'extérieur, mais plutôt de le maintenir dans des conditions de vie propices à en optimiser l'exploi-

tation : maintien d'un poil fin en hiver, donc faible sudation au travail, réservation du tonus pour les services demandés, disponibilité constante, gardiennage aisé… Les risques de développement de maladies* ou de troubles* du comportement ne sont toutefois pas négligeables et sont liés au confinement et à la durée d'enfermement, ce qui doit inciter à prévoir des sorties quotidiennes. Quel que soit le type de logement, simple abri au pré, stabulation libre, box (pièce de 10 m²) ou stalles (alignement de compartiments avec attache au mur), et quelle que

« *La plus noble conquête
que l'homme ait jamais faite
est celle de ce fier et fougueux animal,
qui partage avec lui
les fatigues de la guerre
et la gloire des combats ;
aussi intrépide que son maître,
le cheval voit le péril et l'affronte.* »

Buffon, *Histoire naturelle*,
1749-1789.

soit l'architecture choisie, sommaire ou luxueuse, l'essentiel du « confort » réside en fait dans quelques éléments : un espace suffisant permettant au cheval de se coucher, une bonne ventilation, des revêtements muraux sans aspérités, un sol non glissant (ciment) et une bonne litière (paille). Celle-ci, en effet, sert à la fois de matelas, d'absorbant pour l'urine et d'aliment* dont le grignotage lent occupe de surcroît l'habitant, ce qui contribue à son équilibre psychique, tout comme la présence d'autres congénères et la vue sur le paysage extérieur. MP

■ ÉQUIDÉS
Une famille peu nombreuse

Ânes*, hémiones*, zèbres*, chevaux sauvages* et domestiques* appartiennent à la famille des Équidés, dont le plus lointain ancêtre connu apparaît il y a 55 millions d'années. Les deux caractéristiques majeures de cette famille concernent leur dentition et leur appareil locomoteur. Les dents jugales (prémolaires et molaires) sont à croissance continue. L'hypsodontie est un signe de leur spécialisation alimentaire*. Marchant sur un sabot* corné, ce sont des onguligrades dont le nombre de doigts se réduit à un chez les équidés modernes. Ils constituent, avec les tapirs et les rhinocéros, l'ordre des Périssodactyles, dont l'axe de chaque membre passe par le doigt médian (mesaxonie).

L'aire de répartition naturelle des espèces sauvages d'équidés a profondément évolué. Disparu de son berceau d'origine, l'Amérique*, le genre *Equus* regroupe des espèces européennes et asiatiques : les chevaux sauvages et les hémiones (ou hémippes), et des espèces présentes uniquement sur le continent africain : les zèbres et les ânes.

Véra Eisenmann classe les Équidés modernes en cinq groupes : les chevaux (2 espèces sauvages et un grand nombre de races* domestiques), les « demi-ânes » (2 espèces sauvages), les ânes (2 espèces sauvages et plusieurs races domestiques), les zèbres de montagne (1 espèce), les zèbres de Grévy (1 espèce). PFE

▪ ÉQUITATION
Des pratiques diverses

Entre la pratique des peuples* cavaliers, celle des cow-boys et des gauchos, celle des régiments militaires, celle du tourisme vert, celle des courses*, il n'existe pas une, mais des équitations. Chacune est le fruit d'une histoire, de la diversité des usages du cheval associée à la diversité des pratiquants. Les plus anciennes traces de l'usage du cheval comme monture datent de 2 000 avant notre ère. Postérieure à l'attelage*, l'équitation progresse lentement avec un équipement rudimentaire (monte à cru). Cette pratique se diffuse au fur et à mesure que les innovations la rendent plus efficace (selle*, étrier*). Si le cheval intervient sur les champs de bataille (char de combat) dès le IIe millénaire avant notre ère, la constitution de groupes de guerriers se déplaçant à cheval est plus récente (VIIe siècle av. J.-C.). Elle révolutionne la pratique de la guerre* et accompagne l'émergence des peuples cavaliers pratiquant un pastoralisme nomade.

En Europe, l'équitation est historiquement réservée à une élite de combattants qui associent la monture à leur statut privilégié. L'enseignement de l'équitation reste associé à la pratique de la guerre et de ses dérivés (tournoi*, carrousel, corrida, chasse* à courre), apanage et raison d'être de la noblesse. Elle se codifie progressivement jusqu'à l'émergence au XVIe siècle, au sein des académies* équestres les plus célèbres, des fondements d'une équitation savante. L'équitation française, dont le classicisme est caractérisé par la recherche de la « légèreté », connaît son apogée à Versailles*. Elle ne sera dépassée que par les innovations de François de Baucher, sous Napoléon III. À ces deux courants de l'équitation savante s'ajoutent deux courants d'équitation militaire (École militaire de Paris, « Daurisme » au sein de l'École de cavalerie de Saumur*). L'équitation du comte d'Aure, plus conforme au goût du XIXe siècle, féru d'anglomanie, d'équitation d'extérieur et de chevaux de course, annonce notamment les sports* équestres contemporains. PFE

Cavalier,
La Bastida de Les
Alcuses (Valence),
IVe siècle av. J.-C.
Bronze, h. 7,4.
Valence,
Museo Domingo
Fletcher.

Esthétique

Le coup d'œil du connaisseur lui permet de juger le cheval et d'apprécier ses capacités par l'examen des éléments extérieurs. On nomme ainsi « modèle » ce qui classe l'animal en fonction de sa forme et de ses capacités. Tout ce qui satisfait l'œil est appelé « beauté ». Les beautés sont dites « absolues » lorsqu'elles conviennent à tous les genres de service (attelage* et selle), « relatives » lorsqu'elles ne sont nécessaires qu'à un emploi déterminé (chasse*, saut d'obstacles*, courses*…). Les « défectuosités » sont les imperfections physiques, absolues ou relatives, congénitales ou acquises. Certaines pratiques de toilettage des crins permettent de mettre en valeur les formes : ainsi, le cheval de trait à tout crin aura une tresse prolongée et une queue raccourcie qui souligneront la puissance des masses musculaires, le pur-sang aura une crinière courte et les crins dégagés au niveau de la naissance de la queue qui accentueront le type longiligne du modèle. Il existe également une esthétique du modèle selon les races* : la tête de l'arabe* est appréciée selon qu'elle est plus ou moins camuse, celle du lusitanien selon que sa courbure est busquée ou non, etc. Mais il ne faut jamais oublier que le cheval, quelle que soit sa race, doit présenter une harmonie qui naît de l'équilibre des différentes parties entre elles, l'une ne devant pas prédominer sur les autres. Les pratiques qui consistent à sectionner plusieurs vertèbres de la queue ou à affiner la taille des oreilles* sont désormais interdites. PFE

Foire de Saint-Siffrain à Carpentras, 1975.
Photographie de Martine Franck.

Étalon. Voir Harem

Selle anglaise.

Étrier

Suspendu à une étrivière à l'avant de la selle*, de chaque côté, l'étrier sert à donner un appui au pied du cavalier. On distingue trois parties : l'œil qui laisse passer l'étrivière, les branches qui forment une arcade et le plancher ou grille sur lequel repose le pied. L'Antiquité ne connaît ni selle ni étrier, la monte se faisant d'abord à cru, sur la croupe.

Le frein (mors plus rênes), déjà connu en attelage*, est l'une des premières aides utilisées par les cavaliers. L'étrier apparaît après la selle ; d'abord unique, il semble avoir servi de marche-pied avant d'être utilisé par paire pour assurer l'équilibre du cavalier. Intégré dès le Ve siècle dans l'équitation* d'Extrême-Orient, il n'atteint l'Europe que dans la seconde moitié du VIIIe siècle.

Il est mentionné notamment dans un document espagnol dit *Apocalypse de Valenciennes*, vers 840. Sa diffusion en Occident, probablement très lente, semble avoir été conditionnée par l'évolution du javelot romain, qui s'allonge et se renforce jusqu'à devenir une lance, maintenue en arrêt sous le bras. Court (équitation à la génète) ou long (chevalerie*), l'étrier peut devenir ornement et présenter une grande variété de formes (étrier-pantoufle ou étrier-sabot des amazones*, étrier de course* allégé) adaptées aux différents usages. PFE

▪ ÉTYMOLOGIE
Chevalin, équin, hippique

La désignation du cheval et de la jument fait en français référence à différentes racines. « Cheval » vient du latin *caballus*, d'origine obscure ; d'abord péjorative (« mauvais cheval », « hongre* »), cette appellation a peu à peu remplacé le latin classique *equus*, de même racine que le grec *hippos*. Seuls quatre mots français sont dérivés du latin *equus*, se rapportant au cheval en tant qu'espèce (*équin*, *équidés**) ou en tant que monture (*équitation**, *équestre*). Le grec, par le biais de l'élément *hipp(o)-*, a fourni un grand nombre de composés plus ou moins savants : *hippodrome**, *hippiatrie**, *hipparque* (« commandant de cavalerie* »), *hippique* (d'abord « relatif aux chevaux », puis « aux courses* de chevaux »), *hippophagie**, *hippologie* (« étude du cheval »), *hippomobile* (sorti d'usage avec l'apparition de l'*automobile*). Ce préfixe entre également dans la composition de certains mots désignant des animaux, imaginaires ou réels : *hippogriffe* (« cheval à tête d'oiseau »), *hippopotame* (littéralement « cheval du fleuve ») et *hippocampe* (poisson dont la tête rappelle celle du cheval).

Chevalin, *chevalier* et *chevalerie** sont empruntés directement au latin. En revanche, la plupart des termes équestres et militaires sont empruntés à l'italien, ce qui témoigne de l'ancienne prédominance des académies* italiennes : *cavalcade* (« promenade à cheval en compagnie », puis « marche cérémonielle accompagnant un grand personnage », aujourd'hui « course désordonnée »), *cavalier* (d'abord « gentilhomme servant à cheval »), *cavalerie**.

Franz Krüger, *Promenade à cheval du prince Guillaume en compagnie de l'artiste* (détail), 1836. Berlin, Nationalgalerie.

Emprunté à l'italien *cavalla*, issu lui-même du latin *caballa* (dérivé féminin de *caballus*), le français *cavale* constitue un doublet poétique de *jument*. Ce dernier terme est issu du latin *jumentum*, dérivé de *jugum* (« joug »), désignant un « animal (cheval, âne, mulet) d'attelage ». *Jument* est d'abord masculin et s'emploie seul ou en apposition (*cheval jument*). Les juments poulinières étant les plus souvent utilisées en matière de transport, le mot va peu à peu se spécialiser pour désigner la « femelle du cheval ». Au XIIe siècle, il change de genre et supplante à la fois le féminin *jumente* et l'ancien français *ive* (du féminin latin *equa*). PFE

Commémoration du centenaire
de la Chevauchée de Big Foot, 1990.
Photographie de Guy Le Querrec.

Trois personnages principaux structurent l'imaginaire du Far West : le colon, le cow-boy et l'Indien. Tous trois sont des archétypes, souvent caricaturaux, en relation étroite avec le cheval. L'animal participe en effet pleinement de cette mise en espace d'un Far West rêvé, car il se situe des deux côtés de la barrière qui fixe cette image : il est tantôt le mustang sauvage*, tantôt le

le cinéma* utilisent le cheval comme un élément incontournable et identificateur d'un décor immuable, ou bien valorisent l'animal clairvoyant qui guide son maître au-delà des périls et ramène seul le cavalier blessé... Les westerns nous l'ont appris : dans ces étendues désertiques, un homme sans son cheval est un homme perdu, si bien que les voleurs de chevaux sont punis de mort. Extension et instrumentalisation de l'homme blanc, le cheval domestique* participe activement à la colonisation de l'Ouest, tandis que le cheval marron est lié à l'image du « sauvage Peau-Rouge ». Important en Amérique depuis la fin du XVIe siècle, le marronnage est endémique à la colonisation. Les mustangs, estimés à 2 millions de têtes au début du XXe siècle, sont systématiquement détruits, pourchassés ou repoussés dans les espaces les moins intéressants pour l'homme pour ne plus compter que 17 000 individus environ à la veille de leur protection. Depuis 1971, ils sont considérés comme « le symbole vivant de l'esprit pionnier et de l'histoire de l'Ouest » et sont protégés, à ce titre, par une loi fédérale. CG

compagnon dressé indispensable à la vie quotidienne, économique et culturelle. Il se décline selon différents rôles : attelé au chariot ou à la charrue du colon, dompté au cours de rodéos sauvages, monté pour une équitation* de travail par le cow-boy, capturé et monté à cru par l'Indien.

Dans cette perception d'un Ouest sauvage où s'exprime pleinement l'esprit de la conquête, la littérature et

Fer à cheval

Le pied du cheval a toujours fait l'objet de soins particuliers. Dans l'Antiquité et sur le pourtour du Bassin méditerranéen, on endurcissait la corne en faisant marcher l'animal sur des terrains caillouteux. Les Grecs utilisent des « hipposandales », parfois métalliques, permettant de corriger certains défauts du pied. Mais la ferrure à clous, protection en métal clouée sous le sabot* et qui épouse exactement la face plantaire, n'apparaît en Europe qu'à la fin du IXᵉ siècle, à partir des zones où la terre lourde et humide ramollit la corne. En Asie, les Japo-

nais n'ont adopté ce procédé qu'à l'époque moderne, tandis que les peuples* cavaliers ne l'utilisent toujours pas.

Le fer comporte quatre parties : pince, mamelle, quartier et éponge, et se compose de deux branches : une couverture et une voûte. Les fers ordinaires sont de deux formes, une pour les pieds antérieurs et l'autre pour les pieds postérieurs. Quant aux formes spéciales, il en existe un nombre considérable, recommandés par les vétérinaires* ou les maréchaux*-ferrants : légers ou alourdis,

protecteurs ou orthopédiques, antidérapants, etc. La technique de la ferrure a évolué depuis la Renaissance italienne. On doit à l'écuyer Cesare Fiaschi, en 1556, le premier traité complet de ferrure du cheval, dont Lafosse, au début du XIXᵉ siècle, développera et perfectionnera les principes.

Le fer à cheval est un objet lourdement chargé de représentations. Épousant le sabot, il fournit le liseré de l'empreinte et, selon le principe de la partie valant pour le tout, en vient à représenter le cheval lui-même

(art des Indiens des plaines). Qu'il soit un élément de jeu d'adresse ou un porte-bonheur, le fer à cheval est en rapports étroits avec la chance au jeu, le bonheur domestique et la réussite. PFE

■ Gardien de bétail

Cow-boy des plaines du Far* West, gardian des prairies de Camargue, gaucho de la pampa argentine pratiquent des équitations* de travail particulièrement adaptées aux exigences de leur métier de gardien de bétail. Sur le modèle des peuples* cavaliers, ils utilisent leur monture pour conduire d'autres espèces domestiques, généralement des bovidés, à la recherche de pâturages.

C'est au XVIIe siècle, en Amérique du Sud, qu'apparaissent les premiers *vaqueros*, bouviers habitués à surveiller des troupeaux vagabonds sur des propriétés sans limites. On leur doit l'invention, au siècle suivant, de cette longue lanière de cuir à nœud coulant appelée « lasso ». Souvent, en Argentine, les gauchos utilisent plutôt les *boleadoras*, trois pièces

Gardians des manades, en Camargue.

61

rondes recouvertes de cuir et reliées entre elles, qu'ils lancent de telle sorte qu'elles s'enroulent autour des pattes de la bête et la font tomber. Aux États-Unis, les cow-boys pratiquent toujours l'élevage. À l'automne, ils rassemblent les vaches qui ont passé l'été sur des pâturages lointains puis les ramènent vers les vallées pour y passer l'hiver. Si le ranch n'est plus une ferme de rondins, le costume du cow-boy, lui, n'a pas changé : un chapeau à large bord, des *chaps* de cuir pour protéger les jambes, des bottes, un immense imperméable pour braver les intempéries et, le bien le plus précieux du cow-boy, la selle à pommeau pour fixer le lasso. En Camargue, les gardians rassemblent les taureaux* sauvages élevés en liberté. Ces derniers participent aux courses provençales. En sauvant les taureaux, on a sauvé le cheval camarguais, dont la seule raison d'être aujourd'hui est le gardiennage de ces manades. CG

■ **Guerre.** Voir Armée

■ **Haras**
En France, l'élevage des chevaux est placé sous le contrôle de l'administration des Haras nationaux. Leur création par Colbert, en 1665, succède à la ruine de l'élevage privé consécutive à la fin de la féodalité et aux difficultés d'approvisionnement dues à la guerre de Trente Ans. La constitution des haras correspond à la volonté de maîtriser l'élevage d'un animal indispensable et de s'assurer une production de qualité. Au cours du XVIIIᵉ siècle, le perfectionnement du fonctionnement de cette administration va de pair avec le souci d'améliorer les animaux. Les Haras nationaux

sont ainsi chargés de déterminer l'orientation de la production, l'amélioration génétique du cheptel et le contrôle des organismes qui concourent à la sélection*. Ils offrent en monte publique des étalons* sélectionnés : pur-sang (Orne, Calvados), arabes*, trotteurs français, anglo-arabes (Pau, Tarbes, Pompadour, Limousin), selles français, poneys*, traits (Besançon pour le comtois)… Ces étalons, entretenus dans vingt-trois dépôts, sont répartis durant la saison de reproduction (mars-juillet) dans 243 stations de monte et mis à la disposition de l'élevage privé. PFE

■ **Harem**
La domestication* et les conditions d'élevage modifient les structures sociales des équidés*. Il leur est rarement permis de reconstituer les groupes sociaux très structurés que les éthologues observent chez le cheval en liberté, ensauvagé ou chez les deux espèces de chevaux encore sauvages*. Dans la nature, les chevaux s'organisent en deux types de groupes : les harems et les groupes de mâles célibataires.
Un harem est composé d'une dizaine d'individus, en majorité des femelles accompagnées de leur progéniture, qui se rassemblent autour d'un mâle adulte, un étalon. En période de reproduction*, l'acquisition et la conservation des femelles en œstrus occupent le temps du mâle et s'accompagnent souvent de combats violents, avec coups de sabots* et morsures. Les étalons portent sur leur corps les traces des combats antérieurs. Deux à six juments forment le noyau du harem, qu'elles quittent rarement. Les poulains* de l'année et les sub-

Mustangs, réserve en Arizona.

adultes restent avec les femelles jusqu'à l'âge de 2-3 ans, avant de quitter le harem pour rejoindre les groupes de mâles célibataires. Ceux-ci peuvent ou non fonder leur propre harem.

Que ce soit à l'intérieur des harems ou dans les groupes de mâles célibataires, un réseau dense de relations sociales réunit les animaux au sein d'une hiérarchie. Loin d'être linéaire, celle-ci fonctionne sur le principe des alliances et des affinités interindividuelles. C'est ensemble, dans l'un ou l'autre de ces groupes, que les chevaux effectuent des déplacements quotidiens en fonction de la nature de leurs activités (recherche alimentaire*, abreuvement, repos…). GC

Onagre,
zoo de Vincennes.

■ Hémione

Les hémiones sont des équidés* asiatiques dont l'aire de répartition naturelle s'étend du Proche-Orient à la Mongolie et au Tibet. Victimes de la chasse, des destructions que connaissent partout dans le monde les équidés sauvages* ou ensauvagés, de l'anthropisation des milieux qui repousse les troupeaux dans des zones de plus en plus difficiles, les hémiones sont des espèces menacées.

Le français *hémione* (qui signifie « demi-âne ») n'est qu'une des multiples dénominations utilisées pour désigner les deux espèces reconnues par les scientifiques, *Equus hemionus hemionus* et *Equus hemionus kiang*. La première a un sabot* ovale, des châtaignes (petites excroissances) aux seuls membres antérieurs, la crinière courte et la queue mince. Sa taille dépasse rarement 1,15 m et sa robe* d'un brun jaune, qui s'éclaircit aux extrémités des membres, sous le ventre et autour de la bouche, possède une « raie de mulet » de la nuque à la queue. De plus grande taille (1,30 m), le *kiang* est doté d'une robe à longs poils, de couleur rousse, qui devient plus foncée en hiver. Les appellations *hémippe* (« demi-cheval »), *onagre, kulan, khur, ziggetaï* sont des noms historiques ou vernaculaires se rapportant à des observations anciennes ou à des races géographiques. Ainsi, l'onagre, abusivement nommé « âne sauvage », est en réalité l'hémione d'Asie Mineure. De petite taille, il possède de longues oreilles, une robe grise aux poils soyeux, une crinière droite et courte, et une queue très fournie. PFE

Hennissement

Parmi les nombreux signaux acoustiques dont dispose le cheval, le hennissement est le plus connu, peut-être parce qu'il ressemble au rire humain : bruyant, aigu, il est émis en saccades la tête haute, la bouche grande ouverte et les dents bien apparentes. L'animal appelle ainsi ses congénères, surtout lorsqu'il se trouve seul, qu'il est inquiet et désireux de compagnie. Un autre type de hennissement, plus discret, émis la bouche fermée en trémolo grave et doux, traduit le contentement de l'animal auquel le repas est servi, de l'étalon* mis en présence d'une jument ou de la mère retrouvant son poulain*. Selon le contexte, d'autres bruits expriment l'humeur du moment ou accompagnent des comportements spécifiques, comme le couinement annonçant des bonds de gaieté, le soufflement nasal puissant émis entre deux épisodes de cavalcade joyeuse, le cri strident et prolongé de la jument qui refuse la saillie ou le grondement bref du mécontentement ou du refus.

Si le bardot hennit comme le cheval, le cri de la mule* est plus proche du braiment. Quant aux autres équidés*, une grande diversité prévaut : le cri de l'hémione* s'apparente au hennissement, celui du zèbre de montagne est un hennissement bas et nasillard ou plaintif, le zèbre de Grévy brait, et le zèbre de Burchell a un cri proche de l'aboiement ! MP

Hippiatrie.
Voir Vétérinaire

Hippodrome

La première trace certaine de l'existence de courses* de chevaux régulières ne remonte pas au-delà des jeux Olympiques, la plus importante des fêtes de la Grèce qui se célébrait en Élide. On fit d'abord usage de chars à

Édouard Manet,
*Courses
à Longchamp*,
1867.
H/t 43,9 × 84,5.
Chicago,
Art Institute.

Hippodrome
de Bellerive :
l'arrivée
du Grand Prix
de Vichy.

deux chevaux (25e olympiade), puis à quatre (33e olympiade), et il y eut des courses de chevaux de selle, des courses de poulains* montés et des courses avec deux juments sur lesquelles le cavalier devait sauter à tour de rôle. La piste des hippodromes était de forme elliptique et devait être bouclée cinq à douze fois. À Rome, les courses faisaient partie des jeux du cirque, mais elles disparurent à la mort de Théodose (395) dans le tourbillon barbare qui emporta l'Empire romain. Byzance hérita de Rome cette passion désordonnée, à tel point qu'au VIe siècle, sous Justinien Ier, il n'y eut pas moins de quarante mille personnes tuées dans les rixes entre partisans des Bleus et des Verts. Ce fut la mort des courses. En Angleterre*, au XIIe siècle, des cross-countries furent organisés et la première course rapportée par les chroniqueurs eut lieu sous le règne de Richard Cœur de Lion. Mais c'est Jacques Ier,

au XVIIe siècle, qui eut l'idée de régulariser les courses et d'aménager pour cela les immenses plaines de Newmarket. Les seigneurs prirent vite goût à ce divertissement qui se déroulait désormais sur des hippodromes gazonnés.

Le Jockey Club, créé en 1750, devait amener l'institution à sa pleine prospérité et en faire une des branches de la richesse nationale. PFE

■ Hippophagie

La consommation de viande de cheval n'est pas, en Occident, un acte anodin. Fermement revendiqué ou formellement réprouvé, le goût pour cette viande dont les partisans vantent les mérites et les qualités nutritionnelles a une longue histoire. Avant d'être domestiqué*, dès l'époque de Solutré et de Lascaux*, le cheval fut chassé pour sa viande. L'utilisation de sa force de travail ne fit pas partout disparaître son élevage au

titre d'animal de boucherie, bien qu'il paraisse généralement inconciliable de consommer la monture du guerrier valeureux. Nombreux sont les peuples* cavaliers qui pratiquent ou ont pratiqué le sacrifice du cheval et le partage de sa viande dans un contexte rituel, en rapport avec les devoirs rendus aux morts*, la fertilité ou la puissance.

En Occident, c'est la seule viande d'espèce domestique, avec celle du chien, dont la consommation a reçu un nom particulier. Si l'hippophagie est attestée en Gaule, elle est proscrite dans les religions monothéistes et, progressivement, cette interdiction frappe toutes les zones qui se convertissent. Elle ne devient effective dans le monde chrétien qu'au VIIIᵉ siècle, quand Grégoire III décide de lutter contre « l'influence païenne des Allemands qui sacrifiaient leurs chevaux ». S'y ajoute, au XVIIᵉ siècle, une prohibition d'État (1639) pour « prévenir les maladies que la viande de cheval, non soumise à l'inspection, pourrait occasionner ». L'hippophagie renaît au XIXᵉ siècle grâce à l'engagement de naturalistes et de vétérinaires* qui tentent de susciter un engouement populaire pour cette viande en vue de fournir aux chevaux des pavés parisiens une fin humanitaire et une ultime valeur marchande. Le succès escompté n'a pas eu lieu. Bien que la boucherie ait fourni un sursis aux races* de chevaux de trait mises au rancart par la mécanisation de l'agriculture, des transports et de l'armée*, l'hippophagie ne représente guère que 1 % de la consommation totale de viande. Devenu animal de loisir, le cheval voit son statut se rapprocher de celui du chat ou du chien, que l'idée de manger ne nous effleure plus. GC

Jules Edmond Cuisinier, *Abattage d'un cheval aux abattoirs de Grenelle,* 1871. Aquarelle. Paris, musée Carnavalet.

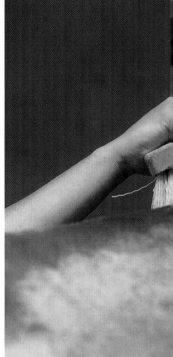

▓ Hongre

La valeur de reproducteur d'un étalon* est la plupart du temps fondée sur ses performances sportives, pour lesquelles sa conformation, notamment une encolure fortement musclée et arrondie ainsi qu'un port de tête altier, semble bien adaptée – ou tout au moins impressionnante. Mais, tant au cours du travail que du repos, un « entier » a l'attention presque toujours accaparée par les juments qu'il voit ou entend. Il peut à tout moment manifester certaines velléités fort gênantes en cédant à son instinct de reproduction*, surtout si les femelles sont sexuellement réceptives et attisent ses sens par des phéromones ou des attitudes non équivoques. Il peut devenir difficile à maîtriser, s'échapper, poursuivre une jument et cher-cher à la saillir, qu'il ou elle ait ou non un cavalier sur le dos… D'autre part, il a également tendance à hennir* en toute occasion et à mordiller en perma-nence, cherchant à attraper entre les dents tout ce qui se trouve à sa portée. Ce comportement constituant un handicap et un risque sérieux, beaucoup de propriétaires préfèrent d'emblée, ou après quelques essais, recourir à la castration, seul moyen d'atténuer suffisam-ment les effets indésirables des hormones mâles sécrétées par les testicules. Ceux-ci sont enlevés par chirurgie sous anesthésie générale (couché), ou locale avec sédation (debout), l'opéra-tion étant moins traumatisante dans ce cas. Ce procédé d'ori-gine hongroise permet d'obtenir un… hongre, au caractère nette-ment plus doux et constant. MP

▨ Hygiène

Le cheval n'effectue pas sa toilette comme le chat. Ce n'est pas un inconvénient lorsqu'il vit en permanence à l'extérieur car les éléments naturels comme la pluie et le vent assurent un nettoyage plus ou moins régulier, balayant notamment la terre issue de la boue dans laquelle il se roule volontiers. Si l'animal sort peu, ou après des exercices, il est nécessaire de le panser. Le pansage contribue aussi bien au décrassage du cheval qu'à sa relaxation. On utilise une étrille plus ou moins rigide pour décoller les poils, un bouchon pour chasser les salissures et les poussières, puis une brosse douce pour lustrer la robe*, enfin un cure-pied pour enlever le crottin, la terre ou les cailloux pouvant se trouver compactés sous les sabots*. La crinière et la queue sont démêlées par brossage puis peignées et au besoin raccourcies. Les zones sensibles (pourtour des yeux, naseaux, bouche…) sont nettoyées à l'aide d'une éponge humide très propre. La douche, appréciée du cheval en été, permet d'éliminer la sueur abondante consécutive à un travail intense. La tonte d'hiver évite une trop forte sudation due aux longs poils de saison, mais implique le port d'une couverture.

Toutes ces opérations contribuent à lutter contre les parasites externes comme les gales, les mycoses ou les poux qui se plaisent sous les fourrures hirsutes. L'hygiène interne est tout aussi importante : une bonne alimentation* et la vermifugation régulière en sont les piliers. MP

■ LABOUR

Cheval de trait comtois, Levier (Doubs).

Au Moyen Âge, le cheval est utilisé dans l'agriculture au détriment du bœuf, sur lequel il affirme sa supériorité dans les travaux de préparation du sol car il est plus résistant et plus rapide, pour une force de traction équivalente.

Au VIe siècle, la loi salique mentionne un cheval tirant la charrue, mais il faut attendre le début du XIe pour voir le cheval agricole apparaître dans l'iconographie (*Tapisserie de Bayeux*)

attelé à la herse ainsi qu'à la charrue. Pour rendre possible cet emploi du cheval, plusieurs innovations techniques ont été nécessaires. La charrue à versoir, empruntée aux Slaves, défonce la terre la plus lourde, ce qui évite un deuxième labour entrecroisé mais impose le hersage.

S'y ajoutent le collier d'épaule, appliqué dans les plaines d'Europe du Nord dès la fin du XIᵉ siècle, et la ferrure à clous (voir Fer à cheval), qui permet au cheval de résister au piétinement dans les terres humides qui ramollissent la corne.

Pour autant, l'usage du cheval dans l'agriculture ne se répandra pas partout en France. Encore au XIXᵉ siècle, l'Hexagone sera divisé en trois zones en fonction de l'animal de labour utilisé : le cheval dans le Nord et l'Est, le mulet* en Poitou, en Provence et dans les Alpes, et le bœuf partout ailleurs. PFE

Pur-sang anglais
(poulain âgé de
40 jours).

Lait

Le premier aliment du poulain*
est le lait de sa mère, sécrété par
deux petites mamelles discrète-
ment logées sous le ventre et
entre les membres postérieurs,
en région inguinale, et qui se
garnissent de colostrum
quelques jours avant la naissance. Ce premier lait est très
énergétique, laxatif et riche en
protéines, vitamines et anticorps, lesquels permettent au
nouveau-né de résister aux
infections en attendant que ses
propres défenses immunitaires
prennent le relais. La quantité
journalière de lait varie avec la
race*, la taille et la période de
lactation ; pour une jument de
taille moyenne (450 à 500 kg),
elle est d'environ 5 à 6 litres au
tout début, augmente rapidement pour atteindre 12 à
15 litres au 3e mois, puis dimi-
nue progressivement à partir du
5e mois. Les besoins alimen-
taires de la jument en pleine lactation sont globalement de 2 à
2,5 fois les besoins ordinaires.
Le lait de vache étant plus dense
mais moins riche en lactose, il
faut le couper d'eau et le compléter en sucre lorsqu'on est
contraint de s'en servir pour un
orphelin. Les fabricants d'aliments ont mis au point des laits
maternisés tenant compte des
impératifs spécifiques de
l'espèce. Certains éleveurs organisent à la saison des poulinages
(au printemps) des « banques
du lait » qui centralisent les
demandes d'aide pour les foals
(poulains de moins de 6 mois)
orphelins et les offres de mères
ayant perdu leur poulain.
Les juments, mais aussi les
femelles de certains autres équidés* tels l'onagre et l'âne*, ont
fait et font encore l'objet d'une
traite. Le lait est consommé par
l'homme, mais plus souvent
utilisé dans la pharmacopée traditionnelle ou comme cosmétique. Poppée, pour préserver sa
beauté, prenait des bains de lait
d'onagre. À l'heure actuelle, la
traite des juments de trait
(auxois, comtois) assure localement un débouché économique
à des races que la mécanisation
de l'agriculture et des transports
avait condamnées. MP

unité de taille, de dessin et de composition ressort de l'analyse précise de ces différentes figures d'équidés. Les corps sont ballonnés, les têtes paraissent petites sous des crinières importantes. Le noir est généralement utilisé pour délimiter le contour extérieur et les détails de la silhouette, tandis qu'une ou plusieurs autres couleurs soulignent les détails de la robe ou remplissent l'intérieur du corps en aplat. Des tracés plus abstraits (pointillés) sont associés à certains éléments de la silhouette, telles les pattes. Tous les équidés sont organisés en séries, et il semble que les artistes aient évité avec soin les superpositions. On trouve toutefois des cas de recouvrement, non pas entre équidés, mais entre équidés et bovins. Avec le couple constitué par un bovin noir (aurochs mâle) et un bovin rouge (aurochs femelle ou bison), le couple équidé-bovin est le thème le plus abondant. Ce type d'associations privilégiées témoigne du caractère concerté de l'exécution des œuvres. PFE

■ Lascaux

Les équidés*, chevaux et peut-être hémiones*, sont largement dominants parmi les représentations animales qui ornent les parois de la grotte de Lascaux. On en compte 355 (sur 597 figures), bien davantage donc que les aurochs (87), les bisons (20), les cerfs (85), les bouquetins (35), les félins (7) ou les oiseaux (1). Une grande

Grotte de Lascaux (Dordogne), v. -15 000.

La licorne se défend. Tenture de *La Chasse à la licorne*, v. 1500. New York, Metropolitan Museum of New York.

◼ Licorne

Comme tous les équidés*, la licorne est un symbole* ambivalent. Elle associe cruauté et sauvagerie à la soumission la plus extrême. De fait, elle est tantôt la monture d'hommes et de femmes sauvages, tantôt la bête qui pose sa tête sur le giron de la pucelle et docilement se couche à ses pieds, acceptant sa mort (rituel de la chasse à la licorne). Jusqu'au XVIIIe siècle, la licorne sera considérée comme une espèce exotique « réelle », car familière, habitant l'Éthiopie, la Chine ou l'Inde. Ainsi, la créature la plus étrange figurant dans l'ouvrage de Breydenbach (1487) n'est pas la licorne, mais la girafe (dont c'est la première représentation imprimée) ; l'auteur souligne que « ces animaux sont véritablement représentés tels que nous les avons vus en Terre sainte ». Depuis l'Antiquité, les érudits fournissent de la licorne des descriptions très précises, quoique fort discordantes. L'historien grec Ctésias, au Ve siècle av. J.-C, lui donne l'allure d'un onagre, avec une robe blanche et une tête pourpre ; il la dote d'une corne unique, longue et droite au milieu du front, dont la couleur, blanche à la base, devient noire puis écarlate. Pline, au Ier siècle, mentionne un « cheval unicorne ». Au XVIe siècle, l'animal est toujours décrit avec un corps de cheval, mais une tête de cerf et des pattes de chevreuil, ou des pieds d'éléphant et une queue de sanglier. Nul, en tout cas, ne doute de l'existence de cet animal, accréditée par la Bible. Les nombreuses cornes vendues par les apothicaires constituent autant de preuves : ces longs appendices, censés prévenir les pestes, les convulsions et l'épilepsie, finiront exhibés dans les cabinets de curiosités de l'Europe entière. Peu à peu, les savants chercheront à les attribuer à des animaux réels : rhinocéros, oiseau garde-bœuf, oryx algazelle, narval (ou *licorne de mer*). CG

■ LITTÉRATURE
Les aventures de Rossinante

Dans les chansons de geste, le cheval est inséparable de la figure du chevalier errant en quête d'aventures : il est Veillantif, le fier destrier de Roland, ou Bayard, dont le corps s'allonge pour accueillir les quatre fils Aymon. Don Quichotte (Cervantès, 1605-1615), nourri de romans de chevalerie*, partira à son tour sur le dos de Rossinante, tandis que Sancho Pança, à ses côtés, chevauchera une mule*. Mais ces animaux n'occupent pas le devant de la scène, à la différence de Godolphin Arabian, dont l'histoire vraie a inspiré Eugène Sue. Aux portraits de chevaux (Tolstoï, *Kolstomier*, 1862) répondent les portraits d'écuyers : le commandant Gardefort du Cadre noir et sa jument Milady (Paul Morand, 1927), ou Vachaud d'Arcole évoqué par François Nourissier dans *En avant, calme et droit* (1987), titre emprunté aux principes du fameux écuyer en chef du manège de Saumur*, le général L'Hotte. Viennent ensuite les romans qui décrivent le compagnonnage de l'homme et du cheval dans la haute société (Balzac, Proust) ou dans les fatigues du travail (Zola, *Germinal*, 1885). L'analogie entre l'amour des chevaux et celui des femmes se retrouve sous la plume de nombreux auteurs : c'est au cours d'une promenade à cheval que Rodolphe conquiert Emma Bovary (Flaubert). Dans les *Histoires extraordinaires* d'Edgar Poe, *Les Chants de Maldoror* de Lautréamont ou *Le Roi des Aulnes* de Michel Tournier, le cheval, porteur du destin de l'homme, emporte son cavalier vers l'inconnu. C'est un des thèmes les plus forts de la littérature équestre. À cela s'ajoute la mort*, sort inéluctable de l'homme comme du cheval, thème présent dans *Les Beaux Quartiers* d'Aragon ou dans *Mort dans l'après-midi* d'Hemingway. PFE

Honoré Daumier,
Don Quichotte et la mule morte, 1867.
H/t 137 × 59.
Paris, Orsay.

Longévité

D'après le Livre des records, le cheval qui aurait vécu le plus longtemps, un certain Old Billy, serait né en 1760 et mort à l'âge de 62 ans. Ce cas exceptionnel ne doit pas faire oublier que les chevaux de 30 ans ne courent pas les rues.

L'âge du cheval, reconnu à l'examen des incisives, est un critère moins décisif qu'on ne le croit en ce qui concerne son utilisation ; cependant, on peut se référer à certaines données classiques sur la longévité des chevaux.

À l'exception du cheval de course*, dont la précocité permet un entraînement dès l'âge de 2 ans, les autres chevaux ne commencent vraiment leur carrière que vers 4 ans. Au-delà de 10 ans, on peut admettre que l'animal perd un huitième de sa valeur par année. Trois types d'évaluations interviennent : l'âge administratif est celui déterminé au 1er de l'an par les sociétés d'élevage ou de courses ; l'âge marqué est celui qui se lit à la table dentaire de la mâchoire inférieure (incertain après 12 ans) ; l'âge réel est celui qu'établissent les documents authentiques. Les éleveurs se chargent d'éliminer par la « réforme » les animaux trop vieux pour être efficients. Au XIXe siècle, les prosélytes de l'hippophagie* ont d'ailleurs utilisé ce prétexte pour développer la consommation de viande chevaline : l'animal conservant une ultime valeur marchande, le cocher n'avait pas intérêt à le tuer à la tâche sur les pavés parisiens.

De nos jours, les associations de protection des animaux fournissent souvent un lieu de retraite pour les chevaux de course en fin de carrière. PFE

Maladies

La bonne santé d'un cheval se traduit par la gaieté, le mouvement, l'appétit, la souplesse, le poil brillant et l'œil vif. Lors d'infections virales (grippe, rage, anémie infectieuse…), bactériennes (gourme, tétanos, métrite contagieuse…) ou parasitaires (piroplasmose, leptospirose…), ces signes sont modifiés, tandis que peuvent s'ajouter l'hyperthermie (plus de 38 °C), la toux, le jetage nasal, l'écoulement vulvaire, les contractures, la rougeur ou la pâleur des muqueuses (œil, gencives), etc. Les vaccinations efficaces les plus courantes concernent la grippe, la rage et le tétanos. De nombreuses affections non microbiennes sont liées au mode de vie imposé par l'homme comme le maintien prolongé dans l'écurie*, une alimentation* déséquilibrée ou des exercices inadaptés ou risqués. Elles sont fréquemment à l'origine de symptômes aigus ou chroniques tels que la crise de pousse et la toux quinteuse de l'emphysème pulmonaire, les boiteries et leur contingent de chaleurs et de déformations perceptibles sur les articulations, les tendons ou les sabots*, la raideur de la myoglobinurie paroxystique consécutive au repos prolongé sans baisse de ration, la congestion de la fourbure par surmenage ou excès de blé, ou l'agitation, le grattage du pied, la sudation et le décubitus prolongé des coliques qui témoignent d'anomalies digestives et traduisent souvent pour les équidés* la pire des souffrances. MP

Lisette, 31 ans.

▉ Maréchal-ferrant

Le pied du cheval n'est constitué que d'un seul doigt, qui fait donc depuis toujours l'objet de soins particuliers. Mais l'évolution des techniques est particulièrement lente. Succédant à l'antique « hipposandale », sorte de brodequin en cuir et en métal maintenu sur le sabot* par des lanières, à usage exclusivement thérapeutique, la ferrure à clous est l'une des inventions les plus marquantes de l'histoire de l'utilisation du cheval par l'homme. Mal fabriqués et mal posés, les fers* se révèlent plus nuisibles qu'utiles. Le maréchal-ferrant doit d'abord « parer » le pied de l'animal, c'est-à-dire tailler la corne du sabot aussi près que possible de la chair. Il choisit un fer adapté à la forme et à la taille du pied, le fixe à la corne par des clous dont il lime ensuite la pointe qui ressort à l'extérieur. Les fers à cheval sont aujourd'hui produits industriellement, mais le maréchal-ferrant a longtemps été celui qui les fabrique, maniant le fer et le feu comme le forgeron au statut duquel il participe. En vertu des éléments

Ary Scheffer,
Lénore : les morts
vont vite, v. 1828.
H/t 59 × 76.
Lille, musée
des Beaux-Arts.

essentiels (feu, minerai, métal) qu'il manipule, il a été considéré comme un homme puissant, sage et dangereux. Parce qu'il côtoie sans cesse les chevaux, il est contaminé par des parcelles de leurs pouvoirs de clairvoyance. Parce qu'il façonne les fers, il accumule la chance que ce support véhicule symboliquement. À ce titre, le maréchal-ferrant a été paré des vertus de celui qui sait soigner. Jusqu'au VIIe siècle, l'art de la ferrure et l'art vétérinaire* ont été unis au sein d'une même corporation, les traités de maréchalerie restant longtemps les seules références sérieuses en matière d'hippiatrie. CG

Mort

Le cheval entretient avec la mort des rapports privilégiés. Ainsi, chez les peuples* cavaliers et leurs descendants, il accompagne l'homme dans la mort. Il peut être sacrifié au moment de la cérémonie funèbre ou à titre de commémoration, et des pièces de harnais ou d'ornement peuvent être déposées dans la tombe. De nombreux attributs symboliques viennent renforcer ce lien : le cheval est souvent considéré comme étant issu des profondeurs de la terre ou des eaux (voir Poséidon) ; clairvoyant, il transmet les présages ; monture, il véhicule les morts et les héroïse ; guide et psychopompe, il accompagne les âmes ; fertilisateur, il les ramène. Les exemples sont nombreux en Europe et en Asie de ce lien entre le cheval et la mort. Dans l'Europe médiévale, une croyance veut que les âmes des défunts soient métamorphosées en chevaux. Rêver de cheval est, depuis l'Antiquité grecque, un présage de mort. Le « cheval nu », depuis les textes de l'Apocalypse*, incarne la mort ; il servira de monture à la Faucheuse. Dans les cultures chamaniques, la transe* qui conduit aux royaumes de l'au-delà est produite par un tambour tendu d'une peau de cheval. GC

◼ Mulet

L'âne* et le cheval sont deux espèces différentes d'équidés*, dont les aires de répartition ne se recouvrent pas. Le premier est d'origine africaine, le second d'origine eurasiatique. Depuis la domestication* des deux espèces, l'homme a très tôt cherché à réaliser et à contrôler leur croisement (qui n'a pas lieu, en principe, en milieu naturel). Il existe deux manières d'accoupler l'âne et le cheval : un cheval et une ânesse donnent des bardots ou des bardotes, un âne et une jument produisent des mulets ou des mules. L'élevage du mulet était très développé dans la région du Poitou, un peu moins dans les Cévennes, le Dauphiné et la Corse. Le mulet du Poitou (1,70 m, 700 kg) était très utilisé dans les formations militaires de montagne du fait de son extrême sûreté de pied et de sa robustesse à traîner et à porter des charges considérables. Les races plus petites (1,40-1,50 m) étaient surtout employées au bât*. Dans le Berry, les mulets de petite taille étaient de précieux auxiliaires dans les galeries de mines. Encore aujourd'hui, les mulets les plus recherchés sont issus du croisement entre le baudet du Poitou et la jument mulassière.

En France, la motorisation a porté un coup beaucoup plus fatal à la production du mulet qu'à celle du cheval. Mais on en trouve encore beaucoup au Brésil et au Mexique, où ils remplacent facilement le cheval, ainsi qu'en Afrique du Nord. La grande majorité de ces hybrides sont stériles : le nombre chromosomique de l'âne est 62, celui du cheval 64, celui du mulet 63. Certaines mules se révèlent toutefois fécondes, qu'elles soient accouplées avec des mulets, des chevaux ou des ânes. PFE

◼ Obstacles

Le saut d'obstacles est l'une des trois disciplines équestres olympiques. Le tracé du parcours parsemé d'obstacles aux profils variés n'est découvert par les concurrents qu'à la reconnaissance, qui est effectuée à pied

Mulet,
Île-de-France.

Fécamp, 1966.
Photographie
de Jean Gaumy.

avant la course* proprement dite. Le cheval, lui, ne le découvre qu'au fur et à mesure des obstacles devant lesquels le cavalier le présente. Les barres des obstacles sont mobiles et tombent lorsque le cheval les touche. La victoire revient à celui qui franchit tous les obstacles « sans faute » ou à celui qui en a commis le moins, et, pour certaines épreuves, dans le temps le plus court. Les fautes sur les obstacles sont sanctionnées par des pénalités en points (barème A) ou par des secondes ajoutées au temps initial effectué par le cheval (barème C). Le premier barème valorise la technique et l'aptitude au saut, le second la vitesse et la maniabilité du cheval. Dans les épreuves classiques, le nombre d'obstacles varie de 12 à 18. Peints de couleurs différentes, qui surprennent parfois les chevaux, les obstacles sont classés par profil : le *droit*, dont les barres se répartissent sur un seul plan vertical ; l'*oxer*, sur deux plans verticaux ; le *mur*, qui donne l'apparence de pierre ou de brique ; le *spa*, dont les barres s'échelonnent sur un plan oblique ; la *rivière*, qui exige du cheval un saut long et plat ; les *buttes de terre* et les *haies*, éléments naturels qui viennent agrémenter un parcours composé d'obstacles artificiels. Les difficultés peuvent être augmentées par des combinaisons d'obstacles que l'on a rapprochés à quelques foulées de galop les uns des autres, entre 7 et 12 m ; ce sont des combinaisons auxquelles on donne le nom de *double* ou de *triple*. Dans ces épreuves, tout se joue en moins de deux minutes, ce qui en fait un spectacle d'une grande intensité. PFE

▉ Oreille

L'ouïe est le sens le plus développé et le plus constant chez les équidés*, en éveil même pendant la plus grande partie du sommeil*. Le pavillon de l'oreille, particulièrement développé et mobile, assure la collecte des sons et participe fortement à la physionomie de l'individu. Les oreilles sont habituellement tenues vers le haut, mais celles de l'« oreillard » ballottent en permanence de chaque côté de la tête. Associées aux mimiques faciales, les oreilles participent également d'une communication gestuelle importante que les cavaliers, autant que les autres chevaux, utilisent et détectent. Ainsi, des oreilles pointées vers l'avant traduisent plutôt la confiance, vers l'arrière la méfiance. Si elles sont plaquées sur la nuque, il faut craindre l'agressivité, réelle ou feinte (bluff), ce qui n'est pas toujours facile à discerner et doit inspirer la prudence (si les dents sont montrées en même temps, l'attaque est... en cours !). Si l'animal est inquiet, l'écoute est très active, les oreilles étant orientées ensemble ou indépendamment l'une de l'autre, et tour à tour dans les directions des objets ou des bruits qui se succèdent. Si l'animal est attentif à son travail, elles sont stables et tournées vers le maître. MP

▉ Paléontologie

L'histoire des équidés* est relativement bien connue grâce à l'abondance des données. Aux os et aux dents s'ajoutent quelques découvertes remarquables : peau et estomac (Messel, Allemagne), empreintes de pas (Laetoli, 3,5 millions

Selles français.

d'années). Cette famille qui a fourni à l'homme deux espèces domestiques*, le cheval et l'âne*, a évolué en 55 millions d'années jusqu'aux espèces actuelles, de grande taille, à partir d'un groupe de petits animaux aux allures de lévrier. Au cours de l'évolution, ils ont acquis plusieurs caractéristiques nouvelles. Ainsi, les ancêtres du cheval étaient brachyodontes comme l'homme (les dents jugales, prémolaires et molaires sont à couronnes basses, totalement apparentes à l'exception de la racine installée dans la gencive) ; depuis *Meryhippus* au Miocène, les équidés sont hypsodontes, la taille de leurs dents s'est accrue et le dessin des crêtes d'émail s'est complexifié au fur et à mesure de la transformation et de la spécialisation de leur alimentation*. L'appareil locomoteur a également subi d'impor-

tantes modifications. Le nombre de doigts s'est réduit de cinq, chez les ancêtres les plus éloignés, à un. Les membres ont perdu leur mobilité latérale, radius et cubitus ont fusionné, les pattes sont devenues onguligrades, le coussinet plantaire a disparu, la première phalange du doigt médian s'est allongée, le squelette a augmenté.

Les paléontologues qui organisent la généalogie du cheval moderne (*Hyracotherium, Mesohippus, Hipparion, Hypohippus, Parahippus, Meryhippus, Dinohippus, Equus*) constatent le développement de cette famille et l'extension conjointe des herbages. L'évolution des équidés s'est déroulée pour l'essentiel dans le berceau de la famille, l'Amérique*, à partir de laquelle les différentes espèces ont colonisé l'Eurasie, en vagues successives. PFE

Rubens,
*Bellérophon
monté sur Pégase
transperce
de sa lance
la chimère*, 1635.
H/b 34 × 27,5.
Bayonne,
musée Bonnat.

*« Mon Pégase n'obéit qu'à son caprice, soit qu'il galope,
ou qu'il trotte, ou qu'il vole dans le royaume des fables.
Ce n'est pas une vertueuse et utile haridelle
de l'écurie bourgeoise, encore moins un cheval de bataille
qui sache battre la poussière et hennir pathétiquement
dans le combat des partis. Non ! Les pieds de mon coursier
ailé sont ferrés d'or, ses rênes sont des colliers de perles
et je les laisse joyeusement flotter. »*

Henri Heine.

■ Pégase

Fils de Poséidon* et de Gorgone, Pégase est un cheval mythique. Découvert par Bellérophon, dont il devient le coursier, ce cheval ailé est capable de galoper à travers le ciel. D'autres chevaux parcourent la voûte céleste, tels ceux qui tirent le char solaire, mais ils sont dépourvus d'ailes, si bien qu'ils ne peuvent se détourner de leur parcours et que leur conduite est malaisée – comme le découvre, à ses dépens, Phaéton.

La nature de Pégase est multiple : terrestre par sa forme, aérienne par ses ailes, aquatique par son père qui lui transmet une relation particulière aux eaux (né aux sources de l'Océan, Pégase fait surgir l'eau d'un coup de sabot) et monstrueuse par sa mère et sa naissance (il naît du sang jaillissant du coup tranché de la Gorgone). Par sa capacité à faire jaillir les sources, comme par le fait qu'il transporte la foudre et le tonnerre de Zeus, Pégase par-

Mongols et chevaux sauvages près du désert de Gobi. Photographie de P. J. Griffiths.

tage les représentations associées aux chevaux blancs, chevaux de majesté.

Symboliquement, il incarne la sublimation des désirs et la maîtrise de l'imagination. C'est sur son dos que Bellérophon triomphe de la Chimère et vainc les Amazones*. Parce qu'il fit jaillir la source Hippocrène, sur l'Hélicon, près de laquelle dansent les Muses, Pégase est associé à l'inspiration poétique. C'est lui que les poètes célèbrent ou appellent de leurs vœux. CG

■ Peuples cavaliers

Les Scythes du nord de la mer Noire, les Sarmates de la Volga au sud de l'Oural et les Xiongnu de Mongolie et du nord de la Chine auraient été les premiers à monter à cheval. L'expression « peuples cavaliers » désigne les sociétés des steppes eurasiatiques, de la Hongrie à la Chine, qui pratiquent un pastoralisme nomade associé à une équitation* de travail dans laquelle le cheval n'est pas l'attribut d'une élite, mais la référence culturelle, économique et sociale principale. Depuis 3 000 ans, le cheval joue un grand rôle dans la vie quotidienne des Mongols : ils consomment sa viande, fabriquent des vêtements avec sa peau, font du feu avec son crottin, boivent le lait* des juments.

On s'y tient en selle avant de savoir marcher.

Gardiens* de bétail, ces peuples organisent grâce à leurs montures la surveillance de troupeaux transhumants ou nomades qu'ils élèvent et déplacent à la recherche de pâturages. Installés sur les marges de sociétés étatiques (comme les Mongols par rapport à la Chine), ils entretiennent avec celles-ci des relations ambiguës : tantôt fondées sur des échanges commerciaux spécialisés qu'autorisent leur maîtrise de l'élevage d'animaux de transport (bât*, monte, attelage*) et la production économique de leurs troupeaux, tantôt fondées sur la conquête comme le découvriront avec stupeur les sociétés du IXe au XIIIe siècle lors des grandes invasions. Hongrois, Turcs, Mongols, Huns surgirent du fin fond des steppes asiatiques, bouleversant les équilibres politiques installés, instaurant la terreur et se taillant à la charge de leurs chevaux d'immenses empires. Les Magyars qui traversèrent les Alpes en 899 devinrent, après leur pacification, le modèle des régiments de cavalerie* avec leurs célèbres hussards. Sous les ordres de Gengis Khan, les Mongols conquirent en onze ans un empire courant de la Volga jusqu'à Pékin. CG

Théodore
Géricault,
*Cheval effrayé
par la foudre,*
v. 1813-1814.
H/t 48,9 × 60,3.
Londres,
National Gallery.

■ Peur

Proie de nombreuses espèces de prédateurs, dont l'homme, le cheval a peu de moyens de défense naturels : il est dépourvu de cornes, ses mâchoires n'ont qu'un petit angle d'ouverture et sa souplesse, réduite par son anatomie*, lui interdit de porter des coups sur les côtés. Son œil favorise la détection du mouvement sur la périphérie du champ visuel* mais sans fournir une profondeur de champ satisfaisante. Comme toutes les espèces d'ongulés et d'équidés* vivant en troupeau*, il trouve donc son salut dans la vigilance et dans la fuite. L'évolution de cette lignée (voir Paléontologie) témoigne d'ailleurs de la spécialisation progressive de l'appareil locomoteur, orienté vers les déplacements rapides et la course.

Depuis sa domestication*, le cheval vit dans un environnement plus serein ; moins inquiet, il peut même se montrer curieux et attentif à son travail. Mais l'animal reste craintif et capable de réagir brusquement par le galop à des éléments qu'un cavalier, avec sa logique et ses sens humains, n'identifierait pas comme menaçants. Toute trahison du maître sur lequel il reporte sa confiance réveille son appréhension naturelle et risque d'engendrer une défiance pouvant se transformer en résistance, voire en défense si la contrainte persiste.

Cette peur peut aussi se manifester à tout moment chez certains chevaux qui, bien qu'en situation confortable, sont confrontés à une forme ou à un bruit insolites (camion, flaque d'eau, klaxons, craquement de branche, clameurs d'une foule…) : ils restent subjugués et figés sur place, les oreilles* pointées et les yeux grands ouverts vers le sujet d'inquiétude, ou se laissent gagner par la panique. La frayeur extrême, avec fuite éperdue se retrouve chez le cheval emballé qui, selon James Fillis, a « l'œil injecté » et est « indirigeable ». MP

■ PMU

C'est au XIXᵉ siècle et en France que les paris sur les courses* de chevaux sont mutualisés (Joseph Oller, 1865). L'ensemble des mises est réparti au prorata du nombre des gagnants après prélèvement par l'organisateur. À la même époque se développe également le « pari à la cote », importé d'Angleterre*,

dans lequel un bookmaker propose à l'avance une somme fixe pour une mise donnée (4 francs « contre » 1 franc, par exemple) et... prend lui-même des risques. En 1891, après maints débats au nom de la morale, les pouvoirs publics estiment que les courses ne peuvent se développer et même survivre sans les paris ; ils décident donc d'assimiler ceux-ci aux loteries, dont les bénéfices sont destinés à des œuvres de bienfaisance, et font adopter une loi permettant de confier aux sociétés de courses l'organisation du pari mutuel sur leurs hippodromes*. Les bookmakers continuant à prendre des paris en dehors des hippodromes, la polémique s'engage à nouveau et aboutit à la loi du 16 avril 1930 qui autorise les seules sociétés de courses à organiser, sous contrôle de l'État, le pari mutuel en dehors des hippodromes : c'est la naissance du Pari mutuel urbain, qui permet désormais de miser tous les jours dans 8 000 postes d'enregistrement répartis sur le territoire. La moyenne des prélèvements légaux est d'environ 30 % (Loto : 50 %), répartis entre les sociétés de courses (13 %) et l'État (17 %), 70 % de la masse des enjeux revenant donc aux parieurs perspicaces ou... chanceux. Environ huit millions de Français acceptent d'apporter une contribution à l'amélioration des races* de chevaux et... des finances publiques. MP

Ouverture des premiers bureaux officiels du Pari mutuel urbain, Paris, 1930.

Haflinger.

▨ Poney

Les poneys ne se différencient des autres chevaux que par leur nanisme : à de rares exceptions près, ils ne dépassent pas 1,47 m. La Grande-Bretagne et ses îles ont été les lieux privilégiés de leur élevage. Ils furent sauvés de l'extermination prescrite par les ordonnances royales d'Henri VIII grâce à leur travail dans les mines, qui permit de faire reconnaître leur utilité. On recense en Angleterre* dix races* différentes, dont le shetland, qui est la race la plus répandue dans le monde. Ce poney, originaire des îles du même nom au nord-est de l'Écosse, est un véritable cheval miniature qui ne doit pas dépasser 1,07 m et qui conserve les caractéristiques du cheval à petite échelle. Le climat particulièrement rude de ces îles, où de violents vents empêchent toute

végétation autre que des herbes courtes, des mousses et des lichens, recouverts en hiver de neiges glacées qui ne laissent que les algues des plages comme nourriture, en a fait un animal vigoureux. Dressé à l'attelage*, il peut tirer quatre fois son poids. D'autres races existent sur le continent. La France, par exemple, possède d'excellentes races autochtones dont l'élevage n'a pas été suffisamment suivi, ce qui a laissé place à l'implantation de nombreuses races étrangères (shetland, welsh et islandais). On compte néanmoins quelques types de poneys landais sauvés de la disparition, élevés dans la vallée de l'Adour. Sans doute importés d'Afrique du Nord par les Maures à l'époque médiévale, ils semblent très imprégnés de sang* espagnol. Le pottock, ou poney basque, long-

Triomphe de Neptune et d'Amphitrite. Mosaïque provenant de Constantine, époque romaine. Paris, musée du Louvre.

temps élevé pour la boucherie, est maintenant amélioré par des étalons arabes* ou pur-sang pour en faire un bon poney de selle. Le mérens, originaire de l'Ariège, est utilisé pour le bât* et le trait, mais il est désormais déclaré cheval de sang. L'Islande produit l'islandais, introduit par les Norvégiens au IXe siècle et réputé pour sa beauté ; l'Autriche le haflinger, employé notamment dans le débardage du bois en montagne, à la selle et à l'attelage. PFE

■ Poséidon

Dans la mythologie grecque, Poséidon (Neptune chez les Romains) est fils des Titans Cronos et Rhéa, et frère de Zeus et d'Hadès. Lors du partage de la Terre, il a reçu le royaume aquatique des mers, des océans, des lacs et des rivières. Père de coursiers célèbres, dont Pégase*, il est célébré en tant que Poséidon *hippios* pour la conduite des attelages*. Son char est tiré par un étrange cheval, dont le bas du corps s'achève en une queue écailleuse et dont le galop est associé à la ruée des vagues. Mais les liens entre Poséidon et le cheval ne se limitent ni à une filiation ni à une pratique. Le cheval est en effet inféodé à l'eau de multiples façons. Il est à l'origine des sources, qu'il fait jaillir en frappant la terre de son sabot*. Dans le Massif central, on ne compte plus les sources ou fontaines Bayard, qui émaillent le parcours du célèbre cheval et de ses cavaliers, les quatre fils Aymon. Les vagues sont souvent représentées comme des coursiers écumant et galopant vers le rivage. Ne dit-on pas que la marée peut monter à la vitesse d'un cheval au galop ? Crin-Blanc emporte son cavalier au large, pour se fondre dans cet élément originel dont son espèce passe pour être sortie un jour. En Afrique, les Bambara du Mali convient la pluie par des danses durant lesquelles les initiés chevauchent des simulacres de bois. CG

Poulain

Le poulinage est un événement à la fois attendu et craint par les éleveurs, du fait de la sensibilité de la jument et de la fragilité du poulain. Après 11 mois de gestation (12 pour l'ânesse), les signes préliminaires sont plus ou moins perceptibles : gonflement des mamelles, cires aux tétines. Les premières contractions peuvent amener la future parturiente à s'agiter, à gratter du pied, à se regarder les flancs, à se coucher, à se relever ou même à transpirer plus ou moins. La naissance peut suivre ou bien se faire attendre, notamment si la jument se sent surveillée, et ne se produire que lorsque l'observateur s'est lassé ou assoupi ! La prise du colostrum indispensable est le premier rapport du nouveau-né (foal) avec sa mère qui l'identifie par son odeur, son aspect et son contact plus que par ses bruits. Au début, le repos, les tétées toutes les trente à soixante minutes et les gambades autour de sa mère constituent l'essentiel de l'activité du poulain. Il grignote également assez vite l'herbe mais sans l'avaler. La croissance est rapide et concerne surtout la taille du squelette, en particulier des membres, essentiels pour les futures performances. La quantité de lait* fournie par la mère étant susceptible d'être insuffisante, une alimentation* complémentaire permet de satisfaire des besoins très élevés jusqu'à 1 an. À cet âge, le poulain est appelé « yearling » et, dans les conditions naturelles, est écarté progressivement par sa mère si celle-ci est de nouveau pleine. Le sevrage est plus ou moins brutal lorsqu'il est imposé, parfois dès 6 mois ! MP

Pur-sang arabe, 6 mois.

Races

Il existe plus de deux cents races de chevaux domestiques, depuis le très grand selle français jusqu'aux lourds chevaux de trait en passant par le gracile et délicat arabe*. Les races sont un produit de la domestication*, de l'élevage qu'elle permet et de la sélection* qu'elle autorise. Au cours des siècles, l'homme a en effet sélectionné les animaux en fonction de leur morphologie ou de leur tempérament en vue de répondre à des besoins particuliers. Certaines races, dont l'utilité ne se fait plus sentir, ont aujourd'hui disparu ou sont menacées d'extinction ; d'autres voient le jour, dont l'existence est reconnue avec la création d'un stud-book (livre généalogique). Les races actuellement élevées en France se répartissent en quatre catégories : les chevaux de sang*, les chevaux de trait (ou chevaux lourds), les poneys* et les races étrangères reconnues. Les naissances enregistrées en 1996 font état de 54 144 immatriculations couvrant l'ensemble du territoire. Les chevaux de sang français comprennent sept races : le pur-sang, originaire d'Angleterre*, le trotteur français, l'arabe, l'anglo-arabe (créé au XIXe siè-cle), le selle français (de création récente), le mérens et le camargue. Les races étrangères rassemblent le lusitanien, issu de la péninsule Ibérique ; le barbe, originaire d'Afrique du Nord ; le lippizan, élevé en Autriche depuis le XVIIIe siècle pour l'École espagnole de Vienne en vue de perpétuer l'ancienne équitation* savante ; le shagya arabe ; le trakehner, originaire de Prusse-Orientale ; le quarter horse, mustang croisé avec du sang anglais en Virginie et aux Carolines. Les races de chevaux de trait portent des noms indiquant chaque fois leur province d'origine : l'ardennais, l'ardennais du Nord, l'auxois, le boulonnais, le breton, le cob et le cob normand, le comtois, le percheron, le poitevin. PFE

Cheval de trait breton, haras de Lamballe.

Trakehner.

Depuis que le cheval n'est plus considéré comme un animal utilitaire*, l'équitation sportive et de loisir enregistre un essor sans précédent. Mieux, dans les pays occidentaux, où s'est construit le principe d'une équitation élitiste, la pratique équestre se démocratise, se féminise et se massifie. Le cheval de randonnée correspond à une nouvelle équitation*, à de nouveaux costumes, à de nouveaux comportements tant à l'égard du cheval qu'envers le milieu naturel. De nouvelles races* se diffusent : barbes, quarter horse, appaloosas, pintos, andalous…

Il existe trois sortes de randonnées. Celle qui semble la moins onéreuse (car elle ne nécessite pas de frais d'hôtellerie ni de voiture suiveuse) et qui offre le plus d'autonomie ainsi qu'une grande liberté d'étapes est la randonnée avec cheval de bât*. Ce dernier transporte sur son dos nourriture et matériel, mais peut aussi servir de monture de secours au cas où l'un des autres chevaux serait devenu indisponible. La randonnée avec voiture suiveuse est de loin la plus en vogue car la voiture assure le ravitaillement et permet d'alerter rapidement médecin ou vétérinaire en cas d'accident. La troisième forme de randonnée se pratique de gîte en gîte. Elle est devenue assez facile à organiser avec le développement du tourisme équestre et la multiplication des gîtes d'étape en France.

Si le cavalier randonneur évite en général les voies goudronnées, qui fatiguent beaucoup les chevaux, il faut savoir que l'augmentation de la densité des routes depuis la dernière

guerre s'est faite au détriment des chemins ruraux. La préparation des itinéraires est donc une chose difficile car il faut tenir compte des chemins privés qui demandent des autorisations de passage, de la disparition de nombreux chemins vicinaux tombés dans l'oubli et de la longueur des étapes de gîte (qui ne doivent pas excéder 30 à 40 km par jour). Un effort énorme a été réalisé par l'Association nationale de tourisme équestre pour baliser les sentiers et publier des guides de circuits. PFE

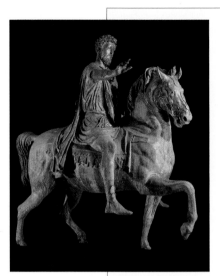

Statue équestre
de Marc Aurèle,
v. 177-180
apr. J.-C. Rome,
Museo Capitolino.

■ REPRÉSENTATION :
Fougue et majesté

Quadrige monumental de bronze doré, les chevaux de Saint-Marc, rapportés de Constantinople par les Vénitiens à la suite de la quatrième croisade, en 1204, sont les plus célèbres sculptures de chevaux avec celles exécutées par Phidias. Dans la frise du Parthénon, les chevaux galopent ; mais ceux de Saint-Marc sont empreints d'un bel équilibre et d'une grande sobriété, fruits d'une profonde réflexion sur les modèles de la haute Antiquité.

Sous l'influence du concept oriental de la « divine majesté » du monarque, un nouvel esprit anime la statue romaine de Marc Aurèle. À partir de 1680, les artistes français se libèrent du modèle italien trop exclusivement militaire, inscrivent dans le bronze la transformation de la royauté féodale en monarchie absolue et créent une forme originale de glorification de la monarchie sous les traits de Louis XIV. Le souverain domine sans effort un animal qui, à son tour, mesure ses mouvements… À la Renaissance, en France, Jean Fouquet se plaît à arrondir les lignes candides des lourds destriers. En Italie, Paolo Uccello exalte dans sa *Bataille de San Romano* (1456-1460) les puissantes formes rondes des destriers par des raccourcis où s'affirme son esprit

■ Reproduction

Si l'étalon* est toujours disposé à s'accoupler durant la période de reproduction, le consentement de la jument est physiologiquement lié aux périodes de fécondité, assimilables aux « chaleurs ». Jusqu'à l'âge de 20 ans environ, celles-ci durent 5 jours consécutifs sur les 21 d'un cycle œstral se renouvelant en gros de mars à novembre. Ensuite, elles ont tendance à s'allonger tout en étant moins intenses, la fertilité devenant insignifiante. La jument montre sa réceptivité par un comportement non équivoque : elle est plus molle qu'à l'habitude, colle à la jambe du cavalier, lève la queue, extériorise son clitoris par saccades, émet fréquemment une urine jaune brillant contenant des phéromones qui stimulent les mâles à distance et accepte la saillie sans broncher. En dehors de cette période, elle crie, couche les oreilles*, fouaille de la queue et rue à l'approche du mâle. En liberté, un étalon intéressé par une femelle réceptive pousse d'abord quelques hennissements* ; le bout de son nez se retrousse, ce qui entraîne la lèvre supérieure et découvre les dents et les gencives : c'est le « flehmen », toujours associé à l'identification sexuelle de la femelle, de préférence en période de reproduction et d'œstrus. Le mâle aborde la jument par l'avant, la mordille,

de géométrie. Quelques décennies plus tard, Léonard de Vinci fixe le canon des proportions du cheval. Au XIXᵉ siècle, Géricault exprime sa fascination pour l'animal, qu'il soit la monture impétueuse d'un *Officier de chasseurs* (1812) ou l'un des fougueux pur-sang du *Derby d'Epsom* (1821). La peinture non figurative du XXᵉ siècle bouscule la doctrine naturaliste de Meissonier, qui s'inspirait d'instantanés photographiques. Retenons encore Picasso, Dalí, De Chirico et l'élégance mondaine de Dufy comme celle de Degas et Dedreux avant lui. PFE

Théodore Géricault, *Le Derby d'Epsom*, 1821. H/t 92 × 122,5. Paris, musée du Louvre.

lui sent les flancs, puis la croupe et la vulve. Vite en érection s'il n'est pas rembarré, il se lève sur les postérieurs et s'accouple en appuyant ses antérieurs sur le dos de sa partenaire dont il mord le bord supérieur de l'encolure. Dans la « monte en main », pratiquée dans les haras*, l'étalon se montre plus expéditif car il acquiert des réflexes conditionnés au vu des mesures constantes prises à l'occasion de chaque « saut » (lever d'un pied antérieur, entraves, tord-nez... pour la jument). Les prémices se limitent alors à l'examen olfactif du périnée et l'accouplement ne dure que trois ou quatre minutes. MP

▮ Robe

Le cheval offre des différences de robe marquées et nombreuses. Les poils garnissent tout son corps, à l'exception du bord supérieur de l'encolure, de la queue et des fanons qui sont garnis de crins. Dans les robes dites uniformes, les crins sont de coloration identique à celle des poils : alezan, qui varie du jaune foncé à l'acajou ; blanc (très rare, à l'exception des albinos) ou gris clair ; noir. Ils peuvent être plus foncés ou noirs dans les robes baies (jaune marron) et mélangés chez les chevaux rouannés ou gris foncé. Parmi les robes composées, on distingue plusieurs types : les robes d'un seul poil, avec les

Appaloosa.

extrémités, la crinière et la queue noires : bai (poils rouges), isabelle (poils jaune clair), souris (poils gris cendré) ; les robes de deux poils mélangés, avec les extrémités et les crins de même teinte : gris (poils noirs et blancs), aubère (poils rouges et blancs), louvet (poils rouges ou jaunes mélangés à des poils noirs) ; la robe rouanne mélange des poils noirs, blancs et rouges, avec des extrémités et des crins noirs ; la robe pie est composée de plaques de deux couleurs différentes, l'une étant toujours blanche, l'autre pouvant être noire baie ou alezane (des plaques de deux couleurs autres que du blanc sont exceptionnelles) ; la robe tigrée rappelle la fourrure de la panthère, avec des taches inégales rouannées ou foncées.

Quelques particularités peuvent venir modifier l'aspect d'ensemble de la robe : reflets, poils blancs, noirs ou rouges, épis, décoloration de la peau, marques blanches en tête (pelote, étoile, liste), balzanes sur les membres, « raie de mulet » (bande de poils foncés courant tout le long de la colonne vertébrale), etc. PFE

lignée généalogique des actuels équidés. La corne a une croissance continue (1 cm par mois) destinée à compenser l'usure naturelle. La domestication* a introduit un déséquilibre dans ce processus ; au pré, l'usure des sabots est réduite, il faut donc les parer ; au travail, elle est excessive, il faut donc les protéger. La corne, robuste et plus ou moins souple, est constituée de la paroi ou muraille (ongle), de la fourchette (partie en forme de V, sous le sabot) et de la sole (autour de la fourchette), l'ensemble contribuant à l'amortissement. Cette boîte de kératine fait l'objet de soins attentifs tels que l'application régulière d'onguent, le parage ou la ferrure, apanage du maréchal*-ferrant. Dans les tissus mous sous-jacents se développent souvent des abcès, conséquences d'infections issues du sol ou de « clous de rue » qui traînent çà et là. Les exercices répétés sur des terrains durs, cailouteux ou profonds infligent surtout aux antérieurs, membres de la réception, des chocs ou des tractions excessives. Les structures osseuses, articulaires et tendineuses du sabot comme de la jambe peuvent alors être le siège d'inflammations susceptibles d'entraîner une gêne, le cheval apparaissant irrégulier dans ses allures* ou nettement boiteux. MP

◼ Sabot

Le cheval, comme tous les équidés* modernes, se caractérise par la présence d'un doigt unique, le médian, dont l'extrémité est protégée par une enveloppe kératinisée (cornée) : le sabot. Sur chacun des membres, on distingue encore quatre « châtaignes » qui sont probablement des doigts vestigiaux. Le cheval est en effet issu d'un ordre dont les ancêtres possédaient, sur le modèle de tous les mammifères, cinq doigts à la main et au pied. Les paléontologues* ont réussi à retracer la réduction du nombre de doigts tout le long de la

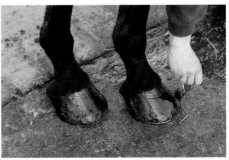

Raphaël,
Saint Georges,
1505.
H/b 32 × 27.
Paris, musée
du Louvre.

■ Saints

Les saints cavaliers sont innombrables. Aux côtés de personnages célèbres (saint Georges, saint Martin, l'archange saint Michel), nombreux sont les saints locaux en relation avec le cheval, soit qu'ils aient été eux-mêmes cavaliers, soient qu'ils procurent un soulagement aux chevaux malades (pardons des chevaux bretons), soient qu'ils permettent de prévenir des maladies* équines. L'association la plus forte entre saints et cheval relève moins de la vie de ces personnages que de leur transformation métaphorique ou réelle en « soldats du Christ ». À ce titre, il est légitime que les champions de la foi soient des chevaliers* ou des cavaliers. Le patron des chevaliers, l'archange saint Michel, est représenté dans son combat contre le diable ou le dragon, casqué, cuirassé, la lance en main, monté sur un destrier blanc. L'idéal chevaleresque s'associe volontiers à la ferveur religieuse.

Aux côtés des saints cavaliers chevauchent aussi des hommes maudits, condamnés à enfourcher nuit après nuit des montures noires, sombres, sauvages qui goûtent avec autant d'ardeur que leur maître des chasses à l'homme auxquelles elles participent, n'hésitant pas, à l'image des juments des douze travaux d'Hercule, à consommer de la chair fraîche. GC

■ Sang

L'expression *pur-sang*, sans doute calquée de l'anglais *pure bred*, désigne à l'origine un cheval dont la filiation est certaine. En France, au début du XVIIIe siècle, les races* chevalines étaient croisées entre elles sans critères rigoureux de sélection*. L'administration des haras* s'attachait davantage aux critères esthétiques* qu'aux qualités équestres des animaux. Fondateur de l'école vétérinaire* de Maisons-Alfort, Claude Bourgelat fut le grand théoricien de la beauté du cheval dans la seconde moitié du XVIIIᵉ siècle. Ses principes reposaient sur le croisement continu des races, les perfections et imperfections étant déterminées à partir d'un canon géométrique des proportions qui renouvelait celui de Léonard de Vinci et prenait pour mesure la tête du cheval. De leur côté, les Anglais s'étaient attachés dès le Moyen Âge au critère de vitesse. Les essais systématiques de croisements qu'ils poursuivirent pendant des siècles débouchèrent sur la création du pur-sang. Ce cheval d'origine orientale, transformé par les conditions d'élevage et de milieu, donna le *thoroughbred*, littéralement « élevé avec le plus grand soin » (*kehilan* en arabe). Plus grande et plus rapide que l'arabe*, cette race ultralongiligne à grands rayons démontra que son sang pouvait améliorer d'autres races. Ainsi apparut le demi-sang, cheval croisé à chaque génération avec un pur-sang jusqu'à ce que la race soit fixée, comme c'est le cas pour l'anglo-arabe. PFE

Pur-sang arabe.

■ SAUMUR

L'École d'instruction des troupes à cheval, à laquelle incombait la formation des officiers instructeurs des troupes montées, fut transférée à Saumur à la Restauration et prit le nom d'École royale de cavalerie* en 1825. L'instruction équestre comportait deux manèges, dont l'un, militaire, fournissait des instructeurs pour la troupe et l'autre, académique, sous l'enseignement d'écuyers civils, s'occupait de l'équitation* personnelle des officiers. Deux écuyers en chef y professaient : le marquis Ducroc de Chabannes (officiers de la grosse cavalerie) et M. Cordier (cavalerie légère). En 1847, le comte d'Aure, élève de d'Abzac (voir Versailles), fut nommé écuyer en chef. Son *Cours d'équitation* entra officiellement en vigueur dans toute la cavalerie en 1853. À partir de 1857, il n'y eut plus d'écuyers civils. Élève de d'Aure et de François Baucher, le général L'Hotte fut le plus célèbre écuyer en chef du manège de Saumur. On lui doit la rédaction du règlement militaire de 1876. Après lui, la vocation du manège était toute tracée : former des instructeurs pour les troupes montées, cavaliers exemplaires capables de dresser un cheval d'armes comme d'entraîner un cheval de course*. L'Hotte se réservait à titre personnel la pratique de l'équitation savante pour mieux l'interdire. Ses deux ouvrages, *Questions équestres* (1906) et *Souvenirs d'un officier de cavalerie* (1905), exposent les enseignements si opposés de ses deux maîtres, d'Aure qui institua « l'équitation instinctive régularisée » et Baucher « dont le nom resplendira, immortel dans l'histoire de l'équitation ».

Depuis 1972, le Cadre noir a intégré l'École nationale d'équitation créée par décret pour assurer définitivement un avenir menacé par la motorisation de la cavalerie. Il y a apporté une tradition au service du sport* et de la formation des cadres de l'équitation. Les présentations des reprises, consacrées l'une aux sauteurs en liberté, l'autre au manège, lui conservent un rôle essentiel dans les actions de prestige de l'École. En 1984, l'École s'est installée à six kilomètres de Saumur sur le domaine de Terrefort, domaine d'une superficie de 300 hectares, avec dix carrières de taille olympique, 40 km de pistes, une clinique vétérinaire*, un amphithéâtre et cinq manèges dont l'un peut accueillir 1 500 spectateurs désireux d'assister au travail des écuyers. PFE

Chevaux de Prjevalski.

■ Sauvage

La famille des équidés* regroupe à l'heure actuelle des espèces domestiquées* (cheval et âne*), des espèces sauvages et des animaux ensauvagés. Aux côtés des zèbres* et des hémiones*, le genre *Equus* compte encore une espèce sauvage : *Equus equus Przewalskii*, le cheval de Prjevalski, sauvé à la fin du XIXᵉ siècle. Le tarpan, disparu à la même époque, a été « recréé » génétiquement (ill. p. 12). Les chevaux de Prjevalski sont élevés en captivité et, depuis quelques années, les animaux nécessaires à la reconstitution de l'espèce ont été lâchés sur les grands causses cévenols afin de permettre, un jour, une réintroduction dans les steppes eurasiatiques.

Quant aux animaux ensauvagés, l'anglais emploie le terme *ferral* pour désigner des animaux domestiques échappés ou volontairement lâchés par l'homme dans le milieu naturel où ils se sont développés, recréant des structures sociales hiérarchisées, harems* et groupes de mâles célibataires. Des éthologues étudient ces animaux dont on connaît quelques populations, au Canada (Sable Island), aux États-Unis (Grand Canyon, Red Desert, Assateague Island), en France (station biologique de la Tour du Valat) et dans le sud de l'Afrique (rivages de Namibie).

Les espèces sauvages d'équidés comme les animaux marrons n'ont généralement pas eu un sort enviable. Après avoir domestiqué le cheval et l'âne, l'homme semble s'être partout employé à détruire les ancêtres sauvages de ces deux espèces, les accusant de s'accoupler à ses juments de race ou de manger l'herbe de ses troupeaux domestiques. Les mustangs comme les *brumbies* ont été massacrés, les Australiens allant jusqu'à les abattre depuis des hélicoptères. En France, paradoxalement, l'élevage du mérens et du pottock, qui sont des races domestiques, privilégie l'ensauvagement de ceux-ci. PFE

Anglo-arabe.

Sélection

La création d'une race* chevaline s'effectue par sélection dirigée (par opposition à naturelle), par accouplement consanguin ou par croisement. Le succès de la première méthode, qui consiste à accoupler des animaux appartenant à une même race, dépend beaucoup des similitudes ou des différences des deux parents. La deuxième, qui fait intervenir des individus apparentés, a l'avantage de fixer les caractéristiques désirées ; à la différence de la sélection dirigée, elle n'est pas évolutive et présente l'inconvénient de fixer également les gènes défavorables (dépression consanguine). Le croisement est un accouplement de deux reproducteurs ayant des types complémentaires et appartenant à des races différentes. Le produit métissé qui en résulte prend le nom de la race du père (par exemple anglo-arabe). Le croisement continu est celui d'un métis de la première génération avec un cheval de la race d'un des deux géniteurs de la première génération, ce qui réduit de plus en plus le pourcentage de la race de départ et augmente progressivement celui de la race introduite. Dans le croisement alternatif, on utilise un géniteur de l'une ou l'autre des deux races de départ à chaque nouvelle union. PFE

Selle

La découverte de la monte est antérieure à l'usage de la selle et de l'étrier*. Les premières tentatives se faisaient sur la croupe, à cru, avant que le cavalier se positionne sur le garrot.

Selle de cross.

D'abord simple tapis jeté sur le dos de la monture, puis assemblage de coussins, la selle avec un arçon de bois apparaît quasi simultanément en de multiples endroits d'Asie centrale, de Chine et d'Inde au début de notre ère. Au VIIe siècle, elle atteint Byzance puis la Perse, d'où les Arabes la diffuseront au siècle suivant dans toute l'Europe. Construite sur l'arçon, qui est une sorte de squelette, la selle comprend un siège avec le pommeau devant et le trousséquin derrière, une matelassure dessous et des quartiers et faux-quartiers sur les côtés ; des contre-sanglons permettent l'attache de la sangle qui maintient la selle à sa place ; les porte-étrivières reçoivent les étriers. Certaines selles comportent aussi une croupière et un collier de chasse. La selle mixte permet de pratiquer conjointement dressage* et saut d'obstacles*. Il existe de nombreux types de selles : la selle anglaise, plate, couramment employée ; la selle d'amazone*, avec ses fourches pour poser la jambe droite à gauche de l'encolure ; la selle de course*, très légère ; la selle Danloux, pour l'obstacle, avec des bourrelets pour fixer la jambe ; la selle française ou demi-royale, avec bâtes avant et arrière, à panneaux très larges ; la selle à piquer, utilisée pour les sauts d'école ; la selle rase, qui ne possède qu'une bâte avant ; la selle des cow-boys, celle des gardians*, etc. PFE

■ Sexualité

« Cheval », « étalon* », « jument », « pouliche » possèdent une connotation sexuelle marquée, où s'exprime la même ambiguïté que dans les mots « croupe », « chevaucher », « cavaleur ». Les récits de littéra-

ture orale, comme les poètes, se sont abondamment servis de cette métaphore. Ainsi, Federico García Lorca, dans sa *Romance à la femme infidèle* (1928), évoque cette dernière sous les traits d'une « pouliche de nacre sans bride et sans étriers ». Portée à l'extrême, la fougue du cheval s'incarne dans le Centaure*, mi-homme mi-cheval, dont la sexualité débridée passe par l'enlèvement et le viol.

Outre la référence à un désir impétueux, le cheval est dans un rapport fort avec la fertilité : selon la croyance populaire, son sabot* qui heurte le sol fait jaillir la source fécondante et sa proximité facilite la délivrance des femmes en couche. Déméter, déesse de la Fertilité, était dite « à tête de cheval ». Une légende veut que, pour échapper aux ardeurs de Poséidon*, elle prît la forme d'une jument ; mais le dieu parvint à ses fins en pre-nant lui-même l'aspect d'un cheval, et de cette union naquirent une fille et... un cheval, Aréion. Au XIIᵉ siècle, en Irlande, les rites d'intronisation stipulaient que le futur roi devait s'unir avec une jument blanche, symbolisant ainsi le mariage entre les principes oura-nien et chthonien. Certains rites populaires de fécondité (fête de la Fourrure, en Cornouailles) constituent des survivances de ce symbolisme sexuel. GC

Louis Lagrenée, *L'Enlèvement de Déjanire par Nessos*, 1755. H/t 157 × 185. Paris, musée du Louvre.

■ Sommeil

Le cheval dort environ 4 heures par jour, contre 12 pour le chat et 7 à 8 pour l'homme. Ce court repos comporte diverses phases, caractérisées par une posture et un niveau d'endormissement particuliers. Lorsque le cheval est en appui sur trois jambes, un postérieur plié et ne touchant le sol que par le bout du sabot* (la « pince »), les yeux mi-clos et la tête plus ou moins basse selon son degré d'éveil, il somnole ou dort légèrement, conservant une certaine vigilance. Cette faculté de dormir debout résulte d'un blocage mécanique qui nécessite peu d'énergie, le poids du corps étant suffisant pour maintenir les membres en extension et la tête étant soutenue statiquement par un ligament qui est inséré sur les vertèbres du garrot et longe toute l'encolure.

Dans des circonstances inspirant la confiance et la sécurité – le silence, la nuit, une écurie* fraîchement paillée, la proximité de la mère pour le poulain* ou un petit rayon de soleil réconfortant –, le cheval se couche plus facilement pour se reposer, soit « en vache », les membres repliés sous le corps et le bout du nez posé sur le sol, soit allongé de tout son long si la place est suffisante. Le sommeil peut alors être plus profond au cours de quelques cycles incluant chacun une période de 3 à 4 minutes de relâchement total du tonus musculaire avec récupération optimale ; l'activité cérébrale est dans le même temps très intense (sommeil paradoxal). Le bruit et l'inconfort contrarient ces phases et peuvent, s'ils perdurent, être à l'origine de troubles* du psychisme et du comportement. MP

■ Spectacle

Au fil des années, le cheval a été de plus en plus apprécié lors de divers spectacles, qu'il s'agisse du cirque ou des scènes de westerns. Tous ces exercices sont le fruit d'un long travail de dressage* et de complicité entre l'homme et l'animal, dont il a fallu exploiter la mémoire, le goût du jeu et la gaieté naturelle.

Le cirque présente de nombreux exercices de voltige difficiles et impressionnants, dont l'apprentissage nécessite un entraînement quotidien de la part du cheval – et un grand respect de l'animal de la part de son entraîneur. Ces deux fac-

teurs réunis, l'animal peut « mémoriser » des numéros. L'écuyer acrobate travaille sans selle*. Pour lui éviter de glisser, la croupe du cheval est saupoudrée de résine. Celle-ci étant moins voyante sur le gris, les chevaux à robe* grise sont nombreux au cirque. Le clou du spectacle est généralement un grand carrousel de chevaux en liberté. Dressés à la voix, ils obéissent au claquement du fouet. Avant tout numéro, le cheval a besoin d'être rassuré, c'est pourquoi son dresseur lui parle et l'encourage pour le mettre en condition. Émotif et sensible, l'animal peut être meilleur certains soirs que d'autres. S'éloignant du cirque traditionnel, Zingaro et son théâtre équestre ont profondément renouvelé cette pratique en faisant du quadrupède l'acteur principal. Les fêtes avec reconstitutions historiques, de plus en plus nombreuses, fournissent également l'occasion de spectacles équestres. Quant à la première apparition du cheval au cinéma*, elle date de 1903, dans un western. Depuis, plusieurs dresseurs tels que Mario Luraschi se sont spécialisés dans les cascades. Ils dressent les chevaux à chuter, à se cabrer, à se coucher ou à s'asseoir. CG

Zingaro, *Chimère*, opéra équestre mis en scène par Bartabas, 1994.

■ SPORT

Les sports équestres comprennent une infinité de pratiques qui vont de l'endurance aux courses* en passant par la voltige, la randonnée* et toutes sortes de jeux. L'endurance, régie par la Fédération équestre internationale depuis 1984, est une discipline aussi ancienne que l'histoire qui lie le cheval domestiqué* à l'homme. La voltige, considérée comme une discipline équestre à part entière, consiste à exécuter des figures gymniques sur le dos d'un cheval non sellé mais muni d'un surfaix à poignées. On distingue traditionnellement la voltige en ligne, née chez les Cosaques qui l'utilisaient pour se dissimuler aux yeux des ennemis, et la voltige en cercle, qui fait appel à des qualités gymniques plus qu'à des performances athlétiques. Le polo est le plus ancien jeu à cheval. Le Tibet et la Perse s'en disputent la paternité, et c'est seulement au milieu du XIXe siècle qu'il fut introduit en Grande-Bretagne puis en France avant de gagner le continent américain. L'objectif est de faire entrer une balle de huit centimètres de diamètre dans les buts adverses à l'aide d'un maillet. L'attaque ne se déploie pas comme au rugby, suivant une ligne parallèle,

Match de *horse-ball*, Saumur, 1992.

mais en flèche. Le partenaire qui suit un joueur peut ainsi reprendre la balle ratée et continuer le mouvement. Le *horse ball* dérive du vieux jeu argentin du « canard », transformé et remis à la mode en France dans les années 70 (le ballon de cuir à six anses a remplacé le « canard »). Ce jeu réunit deux équipes de six cavaliers, dont quatre évoluent sur le terrain (5 × 25 m). Ils doivent ramasser le ballon et l'envoyer dans un cerceau de 1 m de diamètre placé verticalement à 3,50 m du sol. Les cavaliers ne peu-vent tirer au but qu'après avoir réalisé trois passes entre trois joueurs différents de la même équipe. Les *poney games*, réservés aux enfants de moins de 16 ans, constituent un excellent apprentissage de l'équitation sur poney*. Très appréciés en Angleterre*, ils comprennent des exercices ludiques très divers : courses de relais, slaloms, ramassage d'objets… Cette liste de sports équestres n'est pas limitative : il existe par exemple un grand nombre de courses montées, à traîneau, etc. PFE

Johann
Heinrich Füssli,
Cauchemar, 1781.
H/t 76 × 63 .
Francfort,
Goethe Museum.

◼ Stars

Certains chevaux, par leurs performances et leur personnalité,
sont devenus de véritables
vedettes. Ainsi en est-il du trotteur Jasmin, gagnant à maintes
reprises du Prix d'Amérique, ou
de l'espiègle Ourasi, qui amusa
les parieurs et le grand public en
fouettant constamment le
visage de son entraîneur avec sa
queue. Mais le plus attachant
de tous, celui qui fut consacré
star de notre époque et à qui on
a, pour lui rendre un dernier
hommage, dédié la course* des
Masters de Paris, est sans
conteste Jappeloup. Destin
étrange pour ce cheval qui, à
4 ans, était encore un modèle
étriqué avec des allures de trotteur et fort peu d'équilibre. La
première fois que Pierre
Durand lui rendit visite, il se
demanda comment il pourrait
en faire un cheval d'obstacles*.
C'est bien plus tard que l'histoire d'amour entre le cavalier
et son cheval prit toute sa
dimension, car, bien qu'intelli-
gent, Jappeloup en effarouchait
plus d'un par son caractère. Ses

caprices de star auraient pu le
détourner de son public, mais
c'est l'inverse qui se produisit.
Sur les obstacles, la magie fit
effet : tous les spectateurs tombèrent sous le charme. En
1988, Jappeloup devint le cheval le plus titré du monde. CG

◼ Symbole

Le cheval est ambivalent, systématiquement associé au monstrueux, à l'altérité, à la double
nature dont il est souvent le
signe. En témoignent le Centaure*, mi-homme mi-cheval,
Pégase*, monstre ailé, ou
l'Amazone*, modèle d'une
société inversée. Dans la
mythologie et les littératures
traditionnelles, il existe autant
de bons que de mauvais chevaux. Animal chtonien surgi des
profondeurs de la terre ou de la
nuit, le cheval conduit le char
solaire et la mort*, il sert de
modèle et de monture aux initiés, aux chamans, aux possédés
en transe*, auxquels il infuse ses
pouvoirs magiques. Au lieu de
s'unifier en une seule figure,
l'animal est scindé en deux

composantes. Au cheval clair-voyant s'oppose celui de mau-vais présage, contre lequel on utilise, tel un feu allumé en guise de contre-feu, le fer* à cheval porte-bonheur. Au cheval noir, qui incarne l'impétuosité de la jeunesse, s'oppose le cheval de mort. Au cheval blanc, coursier solaire, cheval de majesté, monture du Christ dans le récit de l'Apocalypse*, noble destrier des princes, qui permet l'héroïsation de la mort, s'oppose la monture infernale des nuits blanches, le cheval blême qui apporte les cauchemars (l'anglais *nightmare* signifie littéralement « jument de la nuit »), les fléaux et la mort sans gloire. GC

■ Taureau

Au Portugal, comme en Espagne, l'apprentissage de l'écuyer incluait les courses de taureau, intégrées dans les tournois* dès le XIIIᵉ siècle. Ce combat en champ clos devint vite le rendez-vous de l'aristocratie qui y faisait assaut de vaillance et d'apparat. Les armures disparurent et l'équitation* se fonda sur le mépris du danger, la rapidité et la maniabilité du cheval.

La course portugaise, qui per-dure aujourd'hui, se distingue de la corrida classique notamment par l'absence de mise à mort du taureau. En outre, les cornes de l'animal sont coiffées d'étuis de cuir, ce qui supprime les risques de blessures pénétrantes, sinon ceux de contusions douloureuses. La préparation de la « passe » nécessite une grande finesse dans le dressage* du cheval et requiert de grandes qualités équestres de la part du cavalier, qui doit « sentir » le taureau s'il veut le déplacer, le dominer de loin avant de déclencher l'attaque et de lui planter la banderille quand il arrive à l'étrier*. Le travail du cheval se fait au galop et, pour que la « réunion », qui est le moment où le cheval s'approche au maximum du taureau, s'effectue dans les règles de l'art, il faut que le cheval déplace latéralement toute sa masse et reste parallèle à sa trajectoire de départ. Ces cavaliers portugais, qui ont conservé des costumes du XVIIIᵉ siècle, sont comme les gravures vivantes d'une forme de l'équitation française qui atteignit son apogée à Versailles*. PFE

Le toréador Joao Nuncio, Obidos (Portugal), 1955. Photographie d'Henri Cartier-Bresson.

■ Tournoi

Au Moyen Âge, tournois et joutes servaient à l'entraînement du chevalier* et de son cheval. Le tournoi, qui simule le combat d'ensemble, et la joute, qui est un combat singulier (duel à la lance ou à l'épée), semblent être des survivances de certains jeux du cirque de l'Antiquité. En Espagne et au Portugal, les tournois incluaient des corridas ; l'affrontement de l'homme et du taureau* était supposé développer le courage, le cavalier faisant également la preuve de la maniabilité de sa monture et de sa maîtrise du dressage*. Au XIe siècle, Geoffroy de Preuilly établit des règles précises afin de réduire les dangers des tournois, imposant notamment les armes courtoises : fer de lance émoussé, épée sans pointe ni tranchant, masse de bois. Un tournoi était annoncé par tout le royaume et au-delà. La fête commençait par des joutes, puis avait lieu le pas d'armes, au cours duquel une bataille défendait un passage ou un pont contre une autre bataille. Enfin, des pages et des écuyers « couraient la quintaine », exercice consistant à frapper un mannequin monté sur pivot. À l'occasion des tournois, la courtoisie chevaleresque se manifestait comme un hommage aux dames. En France, les derniers tournois eurent lieu à Orléans en 1560, un an après l'accident mortel d'Henri II. Le premier carrousel eut lieu à Paris en 1605, dans les jardins de l'Hôtel de Bourgogne. Par la suite, Louis XIII et Louis XIV apprécièrent tout particulièrement ces parades équestres et en donnèrent de très brillantes. Avec la Révolution, les carrousels tombèrent dans l'oubli. Mais en juin 1828, lors d'une

visite à l'École royale de cavalerie réorganisée à Saumur*, la duchesse de Berry exprima le désir de voir les exercices de l'école, si bien que le carrousel fut remis à l'honneur. PFE

■ Transe

Clairvoyant, guide, psychopompe, porteur des âmes, issus des profondeurs de la terre ou des eaux, le cheval cumule les références au monde de l'au-delà. Aussi n'est-il pas étonnant qu'on le retrouve de façon aussi systématique dans les rites de possession, d'initiation et dans les cérémonies chamaniques, dès lors que les pratiquants recherchent la mise en relation avec le monde de l'au-delà. Tous les équidés*, réels ou fantastiques, sont d'abord des montures, et cette représentation est suffisamment pré-

gnante pour servir à définir l'homme en transe. Possédé par la divinité, qui s'exprime alors à travers lui, l'être humain est désigné comme le « cheval du dieu ». Dans le vaudou, les initiés sont, durant la transe, les « chevaux des Loas ». En Chine, les initiés étaient appelés « marchands de chevaux », les néophytes « jeunes chevaux ». Les chamans qui pratiquent le voyage extracorporel pour aller quérir les âmes égarées et guérir les malades ont, dit-on, des yeux de chevaux qui leur permettent de voir loin devant eux. Pour obtenir la transe chamanique, ils s'entourent de références chevalines : leur tambour est tendu d'une peau de cheval, leurs habits arborent des représentations et des éléments équins, ils chevauchent une canne chevaline, etc. GC

Ulpiano Checa y Sanz (1860-1916), *Le Cavalier de l'Apocalypse.* Paris, coll. part.

Troubles du comportement

Manger de l'herbe, marcher, trotter et galoper avec des congénères constituent chez les chevaux en liberté des occupations répondant à leurs besoins physiques et psychiques fondamentaux. La privation totale ou partielle de compagnie ou de mouvement, par exemple lors du maintien à l'écurie durant la majeure partie de la journée avec une sortie en manège sous la férule d'un cavalier ou pendant toute une semaine en attendant la balade du week-end, peut à court terme être à l'origine d'un ennui profond et de troubles fonctionnels (coliques, myosites, tendinites…), et à long terme de problèmes comportementaux répétitifs (tics, manies, vices ou même névroses). S'ils ne sont pas trop anciens, ces troubles peuvent disparaître grâce à des mesures simples et non contraignantes pour l'animal : exercice quotidien, paille à grignoter, utile aussi pour le lest digestif, ou petit compagnon (chèvre, mouton ou même lapin). Dans le « tic de l'ours », le cheval se balance d'un antérieur sur l'autre au rythme d'une pendule. Le cheval qui « encense » secoue vivement la tête de haut en bas. Celui qui tourne en rond dans son box dérange les autres, parcourt de grandes distances et, pour finir, s'épuise. Le « tic avec ou sans usure des dents » est un trouble aérophagique qui entraîne à terme l'amaigrissement : l'animal, appuyant parfois ses dents sur un support solide, aspire l'air de façon brève avec un bruit ressemblant à un rot. C'est un vice rédhibitoire, susceptible de faire annuler une vente. MP

Troupeau. Voir Harem

■ UTILITAIRE : Le meilleur outil de l'homme

Tout comme le chien, le cheval a été mis à contribution dans la quasi-totalité des activités humaines. Dans l'Antiquité, s'il n'est pas mis à la charrue et est rarement attelé* aux voitures de marchandises, il est en revanche utilisé sur l'aire de dépiquage où son piétinement semble plus efficace que celui des bœufs ou des ânes*. Il fait tourner les meules dans la Grèce antique. Dans les pays de montagne, il rend de grands services sous le bât*. Des caravanes assurent les échanges sur de grandes distances, malgré un réseau routier peu développé. Au IXe siècle, dans la *Tapisserie de Bayeux*, est figuré pour la première fois un cheval tirant la charrue et la herse. Cette technique remplace celle du labour* entrecroisé. À la Renaissance, le cheval apporte sa force dans les industries naissantes pour lesquelles des ingénieurs inventent d'étonnants mécanismes. La question de l'effort maximum qu'on peut exiger d'un cheval de travail devient un leitmotiv chez les industriels de la fin du XIXe siècle (en témoigne l'ancienne unité de puissance du *cheval-vapeur*). La ville devient une grande consommatrice de chevaux, non seulement à cause des rues pavées ou asphaltées qui fatiguent les membres et les pieds, mais aussi à cause de la loi française qui impose le trot aux fiacres (en particulier pour assurer la fluidité de la circulation). Les études sur le rendement de la traction animale montrent que les chevaux de ferme peinent moins à tirer dix heures par jour que les chevaux attelés trois heures aux omnibus, ou que les chevaux de halage sur les rives des cours d'eau. Dans les mines, malgré la dureté du service, les chevaux passent dix à quinze ans dans le fond sans jamais remonter. Aujourd'hui, le cheval de randonnée* opère la transition entre l'animal de travail et l'animal de compagnie. PFE

■ Versailles

Depuis le XVIe siècle, le service des Écuries du roi avait compté en son sein les plus grands écuyers tels La Broüe, auteur du premier livre d'équitation écrit par un Français en français (*Cavalerice françois*, 1594) et Antoine de Pluvinel. En 1680, Louis XIV, en fin cavalier, installe définitivement la Grande et la Petite Écurie à Versailles – face à sa chambre, contrairement aux usages qui reléguaient habituellement les écuries des demeures princières hors de la vue. Il inscrit ainsi le symbole de sa royauté toute-puissante jusque dans ses écuries, dont Mansart a signé les plans. Les écuyers qui commencèrent à fonder la célébrité du manège de Versailles sont du Vernet du Plessis, du Vernet de la Vallée et Antoine de Vendeuil qui fut le maître de La Guérinière.

Jusqu'à la Révolution, ce manège tint le premier rang en équitation et fut un foyer d'élégance et de goût qui rayonna sur toute l'Europe. Au cours du XVIIIᵉ siècle, quatre écuyers se sont particulièrement illustrés : Nestier, Salvert, Neuilly et d'Abzac. La gravure de Nestier fut toujours citée comme donnant l'idée la plus juste de la belle position d'un écuyer d'académie*. Salvert eut deux élèves dont le renom l'entoure d'un lustre particulier : le comte de Lubersac de Livron et Montfaucon de Rogles. D'Abzac, qui eut l'honneur de mettre à cheval Louis XVI, Louis XVIII et Charles X, reprit la direction du premier manège de Versailles en 1814 jusqu'à sa mort en 1827, trois ans avant sa suppression définitive. Cette « ancienne école française » ne fut jamais égalée. PFE

▌Vétérinaire

Les premières structures officielles d'enseignement et de recherche vétérinaires furent fondées en 1762 à Lyon et en 1765 à Alfort sous l'action conjointe d'un ministre de l'Agriculture de Louis XV, Henri Léonard Bertin, et d'un avocat encyclopédiste et écuyer du roi, Claude Bourgelat. Jusqu'aux grandes épizooties des XVIIᵉ et XVIIIᵉ siècles, l'hippiatrie était un art conjoint de celui du maréchal*-ferrant. Soigner les pieds des chevaux avait en effet tant d'importance que quiconque détenait cette compétence était jugé apte à s'occuper du reste de la monture. Ainsi, l'art de la ferrure et l'art vétérinaire étaient liés autant dans les personnages que dans les traités. Ce n'est qu'à partir du milieu du XIXᵉ siècle, alors qu'une troisième école était

Page des Écuries du roi. Gravure aquarellée d'Henri Bonnart, v. 1685. Musée national du château de Versailles.

Un des chevaux de la Grande Écurie : *Le Charmant Anglois. Ville de Cambrai*, école française, v. 1700. H/t. Le Mans, musée de Tessé.

créée à Toulouse (1828), que les nouvelles possibilités offertes par la physique, la chimie et la biologie permirent à la physiologie, à l'anatomie pathologique et même à la parasitologie de prendre leur essor. La chirurgie du cheval, modèle d'étude pour les autres animaux, hormis les interventions relatives aux pieds et à la castration (voir Hongre), resta à la remorque de la chirurgie humaine jusqu'au développement de la pharmacie, qui permit de mieux maîtriser l'anesthésie et la contention de patients peu coopératifs. Peu à peu, les analyses de laboratoire, l'endoscopie, la radiologie et l'échographie sont venues augmenter les moyens de diagnostic. De nombreux soins tant médicaux que chirurgicaux peuvent désormais être dispensés au sein des cliniques privées et des quatre écoles nationales, celle de Nantes ayant été construite en 1979. MP

▇ Vision

Les globes oculaires du cheval sont, toutes proportions gardées, parmi les plus gros des mammifères. En réalité, ces globes ne sont pas tout à fait sphériques : dans la moitié supérieure, la rétine est plus proche du cristallin, ce qui permet d'avoir une image à peu près nette à la fois de l'horizon et du sol. La pupille en contraction a la forme d'une ellipse horizontale. Chaque œil possède un champ visuel très large, proche du demi-cercle de part et d'autre, si bien que l'animal est doté d'une vision panoramique (350 degrés !) : il peut voir simultanément devant et derrière lui sans bouger la tête. La rétine étant dépourvue de fovéa, qui permet d'obtenir une image focale nette des objets, l'acuité visuelle du cheval est fortement limitée. Les mouvements sont mieux perçus que les formes, même s'ils sont éloignés, car le bord extrême de la rétine y est sensible. Si cette caractéristique est précieuse lorsqu'il s'agit de repérer un prédateur éventuel, elle représente souvent un inconvénient dans un contexte utilitaire*. Pour que le cheval ne soit pas distrait, l'homme a inventé les œillères, qui orientent le regard et donc l'attention de l'animal vers l'avant. La vision binoculaire, qui s'effectue dans l'axe de la tête, est plus efficace mais est limitée à un angle de 70 degrés du fait de la position latérale des yeux. Tous ces aspects confirment la nécessité d'aborder un cheval par l'avant, afin d'éviter une réaction de peur* ou de défense. Pendant longtemps, on a pensé que le cheval, comme la grande majorité des mammifères, n'avait pas de perception colorée, mais des expériences

Zèbres
de montagne,
Tanzanie.

récentes ont montré qu'il pourrait tout de même posséder une vision dichromatique rudimentaire. Sa rétine est bien équipée en bâtonnets, cellules adaptées à la vision en condition d'éclairement minimal (la nuit par exemple). MP

■ Zèbre

Les zèbres sont des équidés* sauvages dont l'aire de répartition est cantonnée au continent africain. Ils se déplacent dans les savanes en troupeaux d'une dizaine de têtes et se nourrissent de graminées. Dotés de sens particulièrement aiguisés, ils peuvent atteindre une vitesse de galop de 60 km/h, défense précieuse contre les fauves. La classification actuelle en recense trois espèces : le zèbre de montagne (*Equus hippotigris zebra*), les zèbres de Grévy (*Equus dolichohippus grevyi*), nommés ainsi lorsque, en 1882 l'empereur d'Éthiopie offrit deux magnifiques spécimens au président de la République française Jules Grévy, et le quagga (*Equus quagga*), aujourd'hui disparu. Leurs caractères communs se résument à une tête plutôt grosse attachée à une encolure puissante, à une crinière pratiquement inexistante, à une queue peu fournie, à l'absence de châtaignes (excroissances) aux membres postérieurs et à une robe à fond blanc présentant des rayures de largeur et d'espacement variables disposées symétriquement. La diversité de dessins qu'elles présentent sur la tête, les membres et la croupe aide, en plus de caractères anatomiques précis, à distinguer les différentes espèces. Celles-ci ne s'accouplent pas entre elles, mais des accouplements entre zèbres et juments ont donné les *zébrules*, entre ânes* et femelles zèbres les *zébroïdes*. Le cri des zèbres est, selon les espèces, plus proche du braiment ou du hennissement*. PFE

117

GUIDE PRATIQUE

Institut du cheval – SIRE
BP 3
19231 Arnac Pompadour CEDEX
05 55 73 83 83

**Service des haras, des courses
et de l'équitation**
14, avenue de la Grande-Armée
75017 Paris
01 44 09 24 00

**Délégation nationale
au tourisme équestre**
30, avenue d'Iéna
75116 Paris
01 53 67 44 44

**Fédération française
d'équitation**
30, avenue d'Iéna
75116 Paris
01 53 67 43 43

**Délégation nationale
à l'équitation sur poney**
30, avenue d'Iéna
75116 Paris
01 53 67 44 00

**École nationale d'équitation
Le Cadre noir de Saumur**
Terrefort
BP 207
49411 Saumur CEDEX
02 41 53 50 50

Musée vivant du cheval
7, rue Connétable
60500 Chantilly
03 44 57 13 13

Musée du Cheval
Château de Saumur
49400 Saumur
02 41 40 24 40

BIBLIOGRAPHIE SÉLECTIVE

Maurice Hontang, *Psychologie du cheval*, Payot, 1971.
Étienne Saurel, *Histoire de l'équitation*, Stock, 1971.
E. J. Catcott et J. F. Smithcors, *Médecine et chirurgie du cheval*, Vigot frères éditeurs, 1974.
Louis-Noël Marcenac, Henri Aublet et Pierre d'Autheville, *Encyclopédie du cheval*, Maloine, 1980.
Pierre Autheville, *Encyclopédie du poney*, Maloine, 1982.
Gérard Guillotel, *Les Haras nationaux*, Charles Lavauzelle, 1986.

Dugué Mac Carthy, *La Cavalerie au temps des chevaux*, Éditions Presse Audiovisuel, 1989.
Albert Decarpentry, *Équitation académique*, Lavauzelle, 1991.
Jean-Pierre Digard, *Le Cheval, force de l'homme*, Découvertes Gallimard, 1994.
Le Grand Livre du cheval, Solar, 1996.
Bertrand de Perthuis (dir.), *Larousse du cheval*, 1998.
Patrice Franchet d'Espèrey et Alain Laurioux, *Le Cadre noir de Saumur*, Arthaud, 1999.